RENOIR

Renoir.

von Maximilien Gauthier

GONDROM

Haupttitel: SELBSTBILDNIS, 1876
Öl auf Leinwand, 73,7 x 60,1 cm
The Fogg Art Museum, Cambridge, Massachusetts

Umschlag-Vorderseite: DIE SCHLÄFERIN, 1897
Öl auf Leinwand, 81 x 65,5 cm
Sammlung Oskar Reinhart »Am Römerholz«, Winterthur, Schweiz

Aus dem Französichen von:
HELGA KÜNZEL

LIZENZAUSGABE FÜR GONDROM VERLAG GMBH & CO. KG, BINDLACH 1992
GESAMTREDAKTION DER REIHE »MEISTER DER MODERNEN KUNST«:
MADELEINE LEDIVELEC-GLOECKNER
© 1991 BONFINI PRESS ESTABLISHMENT, VADUZ, LIECHTENSTEIN
ISBN 3-8112-0959-0

DIE SEINE IN ARGENTEUIL, 1873. Öl auf Leinwand, 50,2 × 65,5 cm
Portland Art Museum, Oregon, U.S.A.

Auguste Renoir kam am 25. Februar 1841 in Limoges, Boulevard Sainte-Catherine, zur
Welt. Sein Vater Léonard, ein Maßschneider, zählte damals einundvierzig Jahre, seine Mutter
Marguerite, geborene Merlet, dreiunddreißig. Auguste war das vorletzte von fünf Kindern.
Doch spielte einzig sein Bruder Edmond, der den ziemlich unbekannten Beruf eines
Medaillenschneiders ausübte und später Journalist war, eine gewisse Rolle in Renoirs
künstlerischem Leben; er leistete ihm zu Beginn seiner Laufbahn verschiedentlich materielle
Hilfe. Léonard Renoir, der Vater des Künstlers, wird von jenen, die ihn kannten, als
energischer Mann mit gesundem Menschenverstand geschildert; seine Frau, eine Schneiders-
tochter, war ein sehr empfindsames Wesen, das »die schönen Dinge« liebte. Sind ihr die
Gaben zuzuschreiben, die ihren Sohn auszeichneten? Die Familie des Vaters läßt in dieser

Edmond Renoir in Menton, 1883
Tinte und Buntstift. Privatsammlung

Hinsicht der Phantasie allerdings auch einigen Spielraum: Renoir hatte eintragen lassen, daß sein Großvater adeligen Ursprungs gewesen und dessen Eltern während der Schreckensherrschaft hingerichtet worden seien; ein Holzschuhmacher aus dem Limousin hatte den Waisenknaben aufgenommen und ihm seinen Namen gegeben, freilich ohne zu wissen, daß dies für das Kind keine so große Ehre war, wie er glaubte. Wie dem auch sei, ab 1844 lebte die Familie Renoir in Paris.

Man könnte es als ein Omen ansehen, daß die Renoirs in der unmittelbaren Nachbarschaft des Louvre ihren Wohnsitz fanden: in der Rue du Doyenné, das heißt in der Verlängerung der Rue d'Argenteuil, im Herzen jenes alten Viertels, das bei der Errichtung des Cour du Carrousel abgebrochen wurde, obwohl Gérard de Nerval es liebte und Baudelaire seine Zerstörung bedauerte. Balzac ließ die Handlung seines *Père Goriot* dort spielen. Die Gegend war nicht sehr verlockend. »In jener Zeit war die Place du Carrousel, die von einigen wenigen Öllaternen nur schwach erleuchtet wurde und ein unentwirrbares Labyrinth von kleinen Gassen darstellte, eine wahre Mördergrube, sobald die Nacht hereinbrach. Die Menschen wagten sich wegen der unheimlichen Stammgäste der umliegenden Spelunken kaum allein dorthin. Bei Tag belegten die Trödler, Bücherkrämer und Vogelhändler mit ihren Buden, die sie an den Holzzäunen errichteten, auch den kleinsten Raum. Zwischen den auseinanderklaffenden Pflastersteinen wuchs Gras, und entlang der überall aufgestellten, wurmstichigen Zäune zog sich ein ekelerregender Abflußkanal, der den kläglichen Zustand des Platzes vollkommen machte.« Renoir verlebte dort seine Kindheit. Man hat ihn jedoch nie sagen hören, daß er unglücklich gewesen wäre. In der Schule wurde Renoir als »fröhliches, doch ernsthaftes« Kind bezeichnet. Dieses Urteil zeugt von einem beachtlichen psychologischen Einfühlungsvermögen der Lehrer des Künstlers. Einer von ihnen, der die Kinder die Musiknoten lehrte, war Kantor in der Kirche Saint-Roch. Er hieß Charles Gounod, und unter seiner Leitung bewies der junge Renoir beim sonntäglichen Singen Klugheit und Geschmack. Er zeichnete natürlich auch, wie jedes Kind in diesem Alter, und aus Neugierde ging er in den nahe gelegenen Louvre (ohne zu zahlen). In den Sälen mit den antiken Skulpturen hielt er sich am liebsten auf.

»Ganz einfach deshalb«, sagte er später, »weil man leicht hineinkam und fast nie jemand dort weilte.«

Man darf jedoch annehmen, daß der Anblick der Statuen von Venus und Apollo ihm nicht unangenehm gewesen war und vielleicht dazu beigetragen hatte, ihn später seine Berufung erkennen zu lassen. Zunächst dachte Renoir nicht daran, Maler oder Bildhauer zu werden. Er war zu bescheiden dazu; und da seine Familie meinte, Porzellanmaler sei kein schlechter Beruf, war er damit einverstanden, in der Manufaktur Sèvres zu arbeiten. Also begann er mit dreizehn Jahren seine Laufbahn bei einem Fabrikanten in der Rue du Temple. »Meine Aufgabe bestand darin«, so erzählte er, »auf weißen Grund kleine Blumensträuße zu malen, für die ich fünf Sous pro Dutzend als Lohn erhielt. Galt es größere Gegenstände zu verzieren, waren auch die Sträußchen größer. Unser Lohn stieg dann, allerdings nur um ein weniges, denn unser Brotherr fand, daß er sich – natürlich nur im Interesse seiner ›Künstler‹ – davor hüten müsse, sie allzusehr mit Gold zu bedecken. All dieses Geschirr war für orientalische Länder bestimmt. Der Meister achtete stets sorgfältig darauf, daß jedes Stück mit dem Stempel der Manufaktur

Das Paar, 1883
Bleistift. Privatsammlung

Sèvres versehen wurde. Als ich meiner selbst ein wenig sicherer war, gab ich die Blumensträußchen auf, um Figuren zu malen – immer zum selben Hungerlohn; ich erinnere mich, daß mir das Porträt von Marie-Antoinette acht Sous einbrachte.« Renoir war flink und gewandt. Er malte zuerst die Blätter, dann die kleinen Rosen, und wenn er ein Stück vollendet hatte, warf er es auf den Haufen, ohne jemals eines zu zerbrechen. Auf diese Weise brachte er es fertig, an einem Tag mehrere hundert Teile zu bemalen. Seine Kameraden hatten ihm den Spitznamen Rubens gegeben, was wohl ein Beweis dafür ist, daß seine Farben gefielen.

Renoir arbeitete vier Jahre lang in dieser Werkstatt, er erweiterte jedoch nebenbei seinen Horizont. »In der Frühstückspause lief ich, anstatt mich auszuruhen, in den Louvre, um nach den Vorbildern der Antike zu zeichnen. Unterwegs aß ich irgendwo einen Bissen, das genügte mir. Eines Tages befand ich mich in der Nähe der Markthallen, ich suchte einen jener Weinhändler, die auch Bratkartoffeln und Rindfleisch verkaufen. Da blieb ich wie gebannt vor der Fontaine des Innocents stehen. Kurz entschlossen verzichtete ich auf das Weinlokal, kaufte mir in einer Metzgerei ein wenig Wurst und verbrachte meine freie Stunde bei dem Brunnen, den ich mir von allen Seiten ansah. Aus dieser so lange zurückliegenden Begegnung entstand vielleicht meine besondere Vorliebe für Jean Goujon.« Man kann diesen Morgen als wichtiges Ereignis in der Kunstgeschichte ansehen, an dem sich ein neues Kettenglied an die lange Tradition der französischen Malerei anfügte. Aber Renoir, der sein ganzes Leben lang ein Spaßvogel war, liebte feierliche Worte nicht.

Mit siebzehn Jahren verlor der junge Mann seinen Brotverdienst. Der Porzellandruck, der billiger war als die Handmalerei, machte alle jene Künstler arbeitslos, die sich weigerten, ihn anzuwenden. Renoir wurde Fächermaler; er verzierte die Fächer nach Motiven von Watteau, Lancret und Boucher mit Malereien, die lieblich sein mußten, ihm aber nicht immer mißfielen: »Mehrmals konnte ich die *Einschiffung nach Cythera* kopieren... Ich muß sagen, daß die *Diana im Bade* von Boucher eigentlich das erste Bild war, das mich völlig in seinen Bann geschlagen hat.«

Bald jedoch konnte ihn auch diese Arbeit nicht mehr ernähren. Renoir fand eine neue Anstellung bei einem Fabrikanten, der sich auf die Herstellung von Vorhängen spezialisiert hatte. Diese Vorhänge waren nicht für normale Fenster bestimmt, sondern für die Fenster jener provisorischen Kapellen, welche die Missionare in fernen Ländern errichteten, um die Neger oder Chinesen anzulocken. Renoir, der sehr gewandt war und ungeheuer flink arbeitete, verdiente bei dieser Beschäftigung bald so viel, daß er Geld beiseite legen konnte, das ihm das Studium der Malerei ermöglichen sollte. 1857 malte Renoir, ohne jemals eine Stunde genommen zu haben, das Bildnis seiner Großmutter, die im selben Jahr starb.

Das Atelier Gleyre, in das Renoir eintrat, zählte nicht zu den offiziellen Ateliers. Es hatte Paul Delaroche gehört, der es 1843, anläßlich seiner Abreise nach Rom, dem Schöpfer des *Abend*, auch *Die verlorenen Illusionen* genannt, abtrat. Charles Gleyre, ein Anhänger des »Neugriechischen« (sein berühmtester Schüler war Gérôme), war kein schlechter Mensch. Er vergaß nie, daß er in seiner Jugend von Hersent vor die Tür gesetzt worden war, weil er das Monatsgeld nicht bezahlen konnte, und verlangte von seinen Schülern nur, daß jeder von ihnen – wenn er es konnte – einen Teil der Mietkosten für den Raum trug, in den er zweimal die Woche kam, um den Künstlern ein Thema vorzuschlagen, sie zu korrigieren und zu beraten. Frédéric Bazille beschreibt Gleyre in einem Brief an seine Mutter: »Wir (er und Castelnau) sind in sein Privatatelier gegangen; er hat mich lange von Kopf bis Fuß betrachtet, sprach mich jedoch nicht an. Anscheinend ist er immer so, aus Schüchternheit.« Renoir scheint vor ihm keine allzu große Scheu empfunden zu haben; denn eines Tages, als ihn der Meister, betroffen von den eigenartigen Arbeiten des seltsamen Neulings, fragte, ob er denn zum Spaß male, gab ihm Renoir treuherzig zur Antwort: »Glauben Sie mir, wenn es mir keinen Spaß machte, würde ich es sicherlich nicht tun.« Wurde Gleyre böse? Renoir schweigt sich darüber aus. 1864 bereits schloß der »Meister«, der bis 1874 lebte, sein Atelier. Das einzige Gute, was die kurze Zeit bei Gleyre Renoir brachte, war die Bekanntschaft mit Claude Monet, sodann die mit Alfred Sisley und Frédéric Bazille, der seine Kameraden wiederum mit Paul Cézanne bekannt machte sowie mit seinen Freunden von der Schweizer Akademie, Camille Pissarro und Armand Guillaumin. Im Jahr 1863, das den Salon des Refusés und den Tod von Delacroix brachte, waren Renoir, Bazille und Guillaumin zweiundzwanzig Jahre alt gewesen, Monet dreiundzwanzig, Cézanne und Sisley vierundzwanzig; der viel ältere Pissarro zählte zehn Jahre mehr als die drei jüngsten und eines mehr als Manet; Corot war siebenundsechzig und Courbet vierundvierzig. Es ist nur natürlich, daß Renoir sich vor allem

DIE SCHAUKEL, 1876. Öl auf Leinwand, 92 × 73 cm
Musée du Louvre, Jeu de Paume, Paris

DIE LOGE, 1874. Öl auf Leinwand, 80 × 64 cm
Courtauld Institute Galleries, London. Courtauld Sammlung

DER ERSTE OPERNABEND, 1876. Öl auf Leinwand, 65 × 50 cm
The National Gallery, London

DIE NACHDENKLICHE, c. 1875. Öl auf Leinwand, 46 × 38,1 cm
Virginia Museum of Fine Arts, Richmond, Virginia. Sammlung Mr. und Mrs. Paul Mellon

PORTRÄT GEORGES RIVIÈRE, 1877. Öl auf Leinwand, 36,8 × 29,3 cm
National Gallery of Art, Washington D.C.

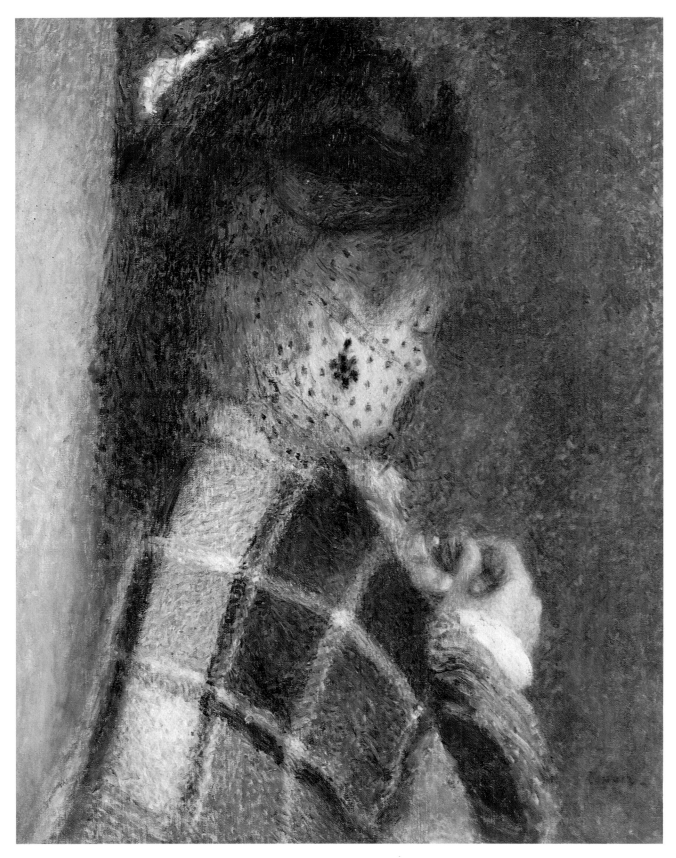

DAME MIT SCHLEIER, c. 1875. Öl auf Leinwand, 61 × 51 cm
Musée du Louvre, Jeu de Paume, Paris

PORTRÄT THÉRÈSE BÉRARD, 1879. Öl auf Leinwand, 55,9 × 46,8 cm
Sterling and Francine Clark Art Institute, Williamstown, Massachusetts

DIE
REGENSCHIRME
1883
Öl auf Leinwand
190 × 115 cm
The National
Gallery, London

16

mit Monet, Bazille und Sisley befreundete; dem scheuen Cézanne brachte er Zuneigung und Bewunderung entgegen, aber sein Verhältnis zu ihm war nicht so brüderlich.

Renoir, Monet, Sisley und Bazille, die schnell unzertrennlich geworden waren, besuchten sicherlich gemeinsam den Salon des Refusés, der ihnen bewies, daß sie die Ideen von Meister Gleyre nicht allzu ernst nehmen durften, daß sie den Akademismus abzulehnen und sich der Natur und dem Natürlichen zuzuwenden hatten. Sie verabscheuten ihren Lehrer nicht; er war ein guter Mensch, aber er täuschte sich und langweilte sie. Er ließ sie im Atelier Theaterstücke aufführen, die Zuschauer bezahlten eine Wachskerze für den Platz. Bei ihrer Macbeth-Vorstellung applaudierten ihnen Whistler, wahrscheinlich auch Fantin-Latour, Champfleury, Duranty, Manet und Baudelaire.

Junges Mädchen mit Rose, 1886
Pastell. Privatsammlung, Paris

Renoirs Tun wurde von seiner Familie mißbilligt, die es lieber gesehen hätte, wenn er dem Porzellan, den Fächern oder den Vorhängen treu geblieben wäre. Seine Ersparnisse hielten nicht lange vor. Man erzählte, daß er in den Ateliers die von den reichen Schülern nicht ganz geleerten Farbtuben auflas. Aber er beklagte sich nie. Bazille, der Sohn eines Bankiers war und eine kleine Rente bezog, fühlte sich in Renoirs Gesellschaft so wohl, daß die beiden wiederholt eine gemeinsame Wohnung nahmen und sich gegenseitig als Modell dienten. Hier konnte Renoir auch nach hübschen Modellen zeichnen oder malen, die zu entlohnen der Freund die Mittel besaß. Um sich darin zu üben, das Leben von der guten Seite zu nehmen, gingen die Künstler in die Closerie des Lilas oder auf den Bal Mabille zum Tanzen. Im Frühling zogen sie in die Wälder von Fontainebleau. Die Künstler hätten gern in Barbizon gewohnt, aber in Chailly fanden sie für vierzig Sous pro Tag, alles inbegriffen, im Cheval Blanc die erträumte Unterkunft.

Bei der Arbeit lernte Renoir eines Tages Diaz kennen, dessen Bilder ihn bezauberten und der ihm den klugen Rat gab, nicht »so schwarz« zu malen. Es wird behauptet, was aber nicht bewiesen ist, daß die Künstler durch Bazille und Monet die Bekanntschaft von Corot und Millet machten. Am Abend nach dem Essen, wenn man *Scieurs de long* oder *En revenant de Lille en Flandre* zu Ende gesungen hatte, erhitzten sich die Gemüter in Gesprächen über Delacroix, Courbet und Monet, die Opfer des Instituts. Renoir bedauerte nun, daß sein *Esmeralda tanzt mit der Ziege* in den Salon von 1863 aufgenommen worden war. Cabanel verteidigte das in Asphaltbraun gemalte Bild, das der Künstler später vernichtete. 1864 hatte Renoir die Ehre, wenn auch nicht das Vergnügen, vom Salon abgelehnt zu werden. »Nicht ich bin es, der vom Salon nichts wissen will«, sagte er nach einigen vergeblichen Versuchen, »der Salon will nichts von mir.« Er tröstete sich, für den Augenblick wenigstens, mit der Teilnahme an der zweiten Ausstellung der »Refusés«, der letzten ihrer Art. 1865 wurde er zum Salon zugelassen, 1866 aber wies man ihn trotz der Intervention von Corot und Daubigny wieder zurück.

Es scheint uns heute kein großes Unglück, wenn ein Künstler nicht im Salon ausgestellt hat, für die Maler jedoch war es damals eines, denn sie hatten keine andere Möglichkeit, ihre Werke der Öffentlichkeit und der Kritik vorzustellen, außer in den nicht offiziellen Kunstgalerien oder den Gesellschaften Andersdenkender. Manche der Künstler hielten nicht durch. »Ohne Monet hätte ich aufgegeben«, bekannte Renoir. Er übertrieb zweifellos, aber seine Worte geben uns eine Vorstellung von der Mutlosigkeit, die sich seiner manchmal bemächtigte.

In Marlotte entdeckten die Maler die Herberge der Mutter Anthony. Dort malte Renoir das *Porträt von M. Lecœur und seinen beiden Hunden* und *Sommerabend*. Monet, Sisley und Pissarro hielten sich zur gleichen Zeit in Marlotte auf. In Paris, Rue Visconti, dann Rue Furstenberg, hatten Renoir und Monet mit Bazille zusammen ein Atelier. Aus ihrem Fenster in der Rue Furstenberg konnten sie Delacroix bei der Arbeit beobachten. Über diesen Ausblick gibt es zwei Versionen. Nach der ersten ging zuweilen ein Modell durch den Garten und erklomm die kleine Treppe, die heute noch besteht; Delacroix entließ das Modell nach kurzer Zeit, und erst dann begann der alte Meister zu arbeiten. Nach der zweiten Version ging das Modell nicht so schnell, aber es bewegte sich unaufhörlich, es saß dem Künstler nicht; und Delacroix, von dem sie nur die Hand, den Arm und hin und wieder ein Stück Schulter sehen konnten, zeichnete schnell, um gleichzeitig Echtheit der Form, der Bewegung und des Lichtes auszudrücken. Eine wertvolle Unterrichtsstunde, die sie nie vergaßen.

Manet, Stevens, Cézanne und Pissarro besuchten die drei Freunde gern, die oft ungeduldig auf die magere Summe warteten, welche Bazille monatlich aus Montpellier erhielt. Bazille schrieb an seine Eltern: »Hier sind zwei bedürftige Maler, Renoir und ein anderer, die ich bei mir beherberge. Es ist ein wahres Lazarett, das ich herrlich finde. Ich habe genug Platz, und die beiden sind sehr lustig.« Der Verkehr im Café Guerbois, Avenue de Clichy, bezauberte die Künstler. In dem von Pfeifenrauch erfüllten Raum trafen sie Degas, Zola, Cézanne, Duranty und Léon Cladel, Fantin-Latour und Bracquemond; man diskutierte hart, man redete sich in Begeisterung, man hatte keine Scheu, sich »Maler der Zukunft« zu nennen; die Jury des Salons erlebte jeden Abend eine schlimme Viertelstunde. Nach einem Abend im Café Guerbois schrieb Zola übrigens seinen berühmten Artikel »Salon«, der seine Entlassung bei *l'Evénement* zur Folge hatte, wo ihn Thédore Pelloquet ersetzte.

Die Ausstellung Courbet im Jahre 1867 bestärkte Renoir und seine Freunde in ihren Ansichten. Renoir fühlte sich von den *Mädchen am Seineufer* stark angesprochen und malte sofort eine

Junges Mädchen. Sammlung Albertina, Wien

Jagende Diana, mit dem Messer statt dem Pinsel; sie läßt den Einfluß des Meisters von Ornans erkennen. Die Technik beschäftigte Renoir lebhaft. »Der Maler Renoir«, schrieb Edmond Maître an Bazille, »ist augenblicklich in Chantilly. Er schuf, als ich ihn das letzte Mal in Paris sah, seltsame Bilder; er verwendete anstatt Terpentin ein scheußliches Sulfat und gab das Messer zugunsten der kleinen Spritze auf, die Sie kennen.«

Manet, der nicht zur Weltausstellung zugelassen wurde, zeigte seine Gemälde in einem Privatpavillon. Das brachte Bazille auf einen Gedanken, den Renoir guthieß: er wollte jedes Jahr neben dem offiziellen Salon in einem »großen Atelier« eine Ausstellung organisieren. Courbet und Corot, Diaz und Daubigny versprachen, sich daran zu beteiligen. Es dauerte jedoch noch eine Zeitlang, bis Bazille seine Idee in die Tat umsetzen konnte. Inzwischen hatte die Jury des Salons die *Diana* zurückgewiesen. Renoirs Modell für die Göttin war übrigens dieselbe junge Frau, die Bazille als *Kartenlegerin* darstellte. In dieser Zeit porträtierten die beiden Künstler auch einander.

19

Renoir von Bazille befindet sich im Nationalmuseum in Algier. Das Bild zeigt den Künstler von der Seite, er sitzt auf einem Sessel, hat die Füße vor sich auf die Stuhlkante gestellt und die Ellbogen auf die Knie gestützt; man sieht, daß diese ungezwungene, lebhafte Haltung ihm vertraut ist und ganz dem Geist des Mannes entspricht, der sich bereits über die »Kunst im Überrock« mokierte. Der junge Renoir ist ziemlich mager; obwohl er ruhig dasitzt, erkennt man sein lebhaftes Temperament. Sein Gesichtsausdruck ist nachdenklich, entschlossen und keine Spur romantisch.

Bazille von Renoir befindet sich im Louvre. Der Künstler sitzt in Pantoffeln und seiner Arbeitsweste vor der Staffelei und malt an einem Stilleben (mit dem *Reiher*, das im Museum von Montpellier aufbewahrt wird). Die Farben des Bildes sind grau, was man damit erklärt, daß Renoir damals noch gezwungen war, in die Farbenschachtel seines hilfsbereiten Kameraden zu greifen. Das Porträt erhielt Manet als Geschenk, der es später für einen Monet (*Frauen im Garten*) an die Familie Bazille abtrat.

Wenn sie nicht in Chailly weilten, wo Renoir im Freien seine *Lise mit dem Sonnenschirm* malte, die der Salon von 1868 annahm, dann brachten die Künstler, inspiriert von Baudelaire und seinen wunderbaren Seiten über Constantin Guys, in Landschaften und Pariser Szenen ihre Vorliebe für das moderne Leben und ihre Abneigung gegen die historische Malerei zum Ausdruck. Emile Zola bezeichnete sie als »Aktualisten«.

Lise mit dem Sonnenschirm, die Burger und Zacharie Astruc auffiel, war schlecht placiert worden. Duranty erhob Protest dagegen: »Glauben Sie, daß Renoir keinen Groll hegt über die Ungerechtigkeit, die ihm widerfahren ist? Armer junger Mann! Er hatte ein Bild eingesandt, das ich nicht als gut bezeichnen möchte, aber als interessant in jeder Hinsicht. Eine Dame in voller Größe, die sich mit einem Sonnenschirm beschattet. Sie trug den Namen *Lise*. Die Erde wirkte feucht, der Baum flockig, aber die Gestalt in dem Halbschatten war mit großer Kunstfertigkeit modelliert, auf jeden Fall ist das Gemälde ein kühner Versuch. Aber weil *Lise* Erfolg hatte, weil sie von einigen Kennern betrachtet und besprochen wurde, trug man sie bei der Revision lieber auf den Misthaufen, in die Rumpelkammer, wo man auch schon Monets großartige *Schiffe* hingebracht hatte.« Castagnary schrieb in weniger lebhaftem Ton eine wohlwollende Kritik. *Lise* – das Porträt eines schönen Mädchens, das Renoir seinen Eltern vorgestellt hatte, die die beiden 1869 bei sich in Ville d'Avray aufnahmen – war Renoirs erster Erfolg. In dem Bild tritt Renoirs glückliche Vision von der Wirklichkeit zum erstenmal schüchtern zutage.

Renoir war noch weit davon entfernt, seinen Lebensunterhalt zu verdienen, ja man fragt sich, wie es ihm, vom materiellen Standpunkt gesehen, möglich war zu existieren. Er malte das Porträt von Sisley und dessen Frau. Monet hatte geheiratet; die Not war groß. Renoir schrieb an Bazille: »Ich bin bei meinen Eltern und gehe fast täglich zu Monet (nach Bougival), der übrigens ziemlich gealtert ist. Wir haben nicht immer genügend zu essen; trotzdem bin ich zufrieden, denn Monet ist beim Malen eine gute Gesellschaft. Ich arbeite fast nichts, denn ich habe nur wenig Farben.« Und Monet bekennt in einem Brief an Bazille: »Renoir bringt uns Brot von zu Hause, damit wir nicht krepieren.«

Der Gedanke, große Gestalten nach Modellen zu malen, die sich im Freien aufhielten, ließ die beiden Künstler nicht los, er führte sie an die Grenouillère, wo sich einer hellen, lichtvollen Malerei Badende und Ruderer darboten, wo sich die Poesie der Natur mit jener des täglichen Lebens vereinte. Als Bazille, der den Sommer bei seiner Familie verbracht hatte, nach Paris zurückkehrte, zogen Monet und Renoir zu ihm in die Rue La Condamine, wo sein neues Atelier lag. Von hier aus war es nicht weit zum Café Guerbois, in dem sich nach wie vor die Revolutionäre und die Suchenden versammelten. Renoir sollte Verbindung mit den Lieferanten aufnehmen, die das Atelier in der Rue La Condamine einrichteten. Er schrieb an Bazille: »Ich bin in Ville d'Avray; für das, was Du haben willst (Vorhänge, Tapeten usw.), schickst Du mir am besten sofort Geld, wenn Du welches hast, damit Du es nicht verputzt. Du kannst beruhigt sein, was mich anbelangt, denn ich habe ja weder Frau noch Kinder und bin auch nicht gewillt, mir das eine oder das andere zuzulegen.« Sein Humor hatte ihn nicht verlassen, denn er fuhr fort: »Ich schreibe Dir ein andermal mehr, denn ich habe Hunger und vor mir steht ein Steinbutt in weißer Sauce. Ich frankiere den Brief nicht, denn ich habe nur noch zwölf Sous in der Tasche, und die muß ich aufheben, um nach Paris fahren zu können, wenn es notwendig sein sollte.« Eine Kleinigkeit sagt viel über den Unterschied der Charaktere der drei Freunde aus: Monet und Bazille haben sich nie geduzt.

Die Jury von 1869 war genauso unerbittlich wie die vorhergehenden. »Was mir Spaß machte«, vertraute Bazille seinen Eltern an, »ist, daß man uns richtig haßt; Herr Gérôme ist an allem schuld; er hat uns wie eine Bande von Verrückten behandelt und erklärt, er halte es für seine Pflicht, alles zu tun, um zu verhindern, daß unsere Gemälde erscheinen. Das Ganze ist jedoch nicht schlimm. Wenn ich einmal ein vollkommen gutes Bild gemalt habe, dann wird man es auch sehen müssen.« Man ermutigte einander, so gut es ging, und Renoir sah die Dinge zweifelsohne in derselben Weise.

Das Atelier in der Rue La Condamine ist in einem Bild festgehalten, das der Louvre besitzt; man glaubte, in dem auf einer Tischkante sitzenden Mann Renoir zu erkennen und in dem anderen, der auf dem Treppengeländer hockt und spricht, Zola; laut Moreau-Nélaton, der behauptet, Renoir habe nie einen so dichten Bart gehabt, handelt es sich vielmehr um Sisley und Zacharie Astruc. Sicher ist jedenfalls, daß Renoir im Hintergrund des Bildes *Das Atelier von Batignoles* (Louvre) zu sehen ist, das Fantin-Latour 1869 zu Ehren Manets malte, um den sich seine Bewunderer und Freunde versammelt haben (Renoir, mit Umhang und Hut, Monet, Bazille, Zola, der deutsche Maler Schölderer und Edmond Maître). Bertall, der schon bessere Einfälle hatte, karikierte das schöne Werk in einer sehr mittelmäßigen Zeichnung, die er mit einer erbärmlichen Unterschrift versah: »Jesus malt inmitten seiner Jünger oder die göttliche Schule Manets, religiöses Gemälde von Fantin-Latour. In jener Zeit sprach Manet zu seinen Jüngern: Wahrlich, wahrlich, ich sage euch, jener, der in der Malerei einen Trick anwendet, ist ein großer Maler. Gehet hin und malet, ihr werdet die Welt erleuchten und den Leuten einen Bären aufbinden.«

Das Jahr 1870 hatte gut begonnen: Renoir war mit seiner *Badende mit Pinscher* und der *Frau aus Algier* in den Salon aufgenommen worden. Das zweite Bild läßt bei dem Künstler eine Neigung zu Delacroix erkennen, die seine Vorliebe für Courbet ablöste. An der

MADAME CHARPENTIER MIT IHREN KINDERN, 1878
Öl auf Leinwand, 153,7 × 190,2 cm
The Metropolitan Museum of Art, New York

Claude Renoir, 1904. Lithographie

Grenouillère, im Restaurant Fournaise, fand Renoir genug hübsche Modelle, die er für seine Malerei brauchte und vielleicht auch zu seinem Vergnügen. Die Künstler verließen die Rue La Condamine, um sich in der Rue des Beaux-Arts, in der unmittelbaren Nachbarschaft Fantin-Latours, einzurichten. Renoir kümmerte sich erneut um die Ausstattung des Ateliers.

Frau mit Sonnenschirm, 1877. Öl auf Leinwand, 47 × 56,2 cm
Museum of Fine Arts, Boston, Massachusetts

DAME AM KLAVIER, 1875. Öl auf Leinwand, 93 × 75 cm
The Art Institute of Chicago

PORTRÄT MADAME HENRIOT, c. 1876. Öl auf Leinwand, 65,9 × 49,8 cm
National Gallery of Art, Washington D.C.

PORTRÄT VICTOR CHOCQUET, 1876. Öl auf Leinwand, 46 × 36 cm
Sammlung Oskar Reinhart »Am Römerholz«, Winterthur, Schweiz

Porträt Jeanne Samary, 1877. Öl auf Leinwand, 46 × 40 cm
Comédie Française, Paris

VENEDIG - DER DOGENPALAST, 1881
Öl auf Leinwand, 54,3 × 65,3 cm
Sterling and Francine Clark Art Institute, Williamstown, Massachusetts

DER SANKT-MARKUS-PLATZ IN VENEDIG, 1881
Öl auf Leinwand, 65,5 × 81,3 cm
The Minneapolis Institute of Arts

31

Er schrieb an Bazille: »Mein lieber Freund, der Tapetenhändler sagt, daß er Dich verhaften läßt, wenn Du nicht blechst. Ich lege es Dir nahe. Ich bin gerade bei Dir, ich warte immer darauf, daß ich abfahren kann. Gestern habe ich Meister Fantin gesehen; es geht ihm gut.«

Renoir malte Fournaise und seine Tochter, den Schuhmacher und seine Frau. Ein Kritiker bezeichnete seine *Badende* als »eine Karikatur der Mediceischen Venus«, Renoir fand das Leben trotzdem wunderbar. Da bricht der Krieg aus. Bazille meldet sich freiwillig zu den Zuaven, obwohl sein Vater für ihn einen Ersatzmann gekauft hat. Seine Freunde sind betroffen. Edmond Maître schreibt ihm: »Sie sind verrückt, vollkommen verrückt.« Dann gibt er die Feder an Renoir weiter, der fügt hinzu: »Dreimal Scheiße, du Erztrottel!« Bazille fiel in der Schlacht von Beaune-la-Rolande. Das war das Ende von Renoirs Jugend.

Manet und Degas meldeten sich ebenfalls freiwillig. Monet, Pissarro und Sisley, der britischer Untertan war, fuhren nach London, wo sie das Glück hatten, den Kunsthändler Durand-Ruel kennenzulernen. Cézanne und Zola, die in der Provence weilten, beschlossen, zu ignorieren, was um sie vorging, sie vergaßen, sich bei der Mobilmachung zu melden, und wurden zu Fahnenflüchtigen erklärt; der Sturz des Kaiserreiches und die darauffolgenden Wirren regelten in diesem Punkt ihre Angelegenheiten. Renoir wollte dem Lauf der Dinge nicht vorgreifen; als er seine Einberufung erhielt, reiste er ab nach Bordeaux. Er wurde dem 10. Reitenden Jägerregiment zugeteilt und in Tarbes kaserniert; es gelang ihm, bei seinem Rittmeister und dessen Frau, deren Porträt er malte, Sympathie zu erwecken. Sobald es möglich war, kehrte Renoir in die Hauptstadt zurück. Seine Mutter lebte in Louveciennes. Um sie dort zu besuchen, wagte er sich, weniger aus Heldenmut als aus Vertrauen auf seinen guten Stern, in gefährliche Zonen. Die Neugier trieb ihn jedoch bald wieder nach Paris, wo das Leben auf den Straßen rege war wie nie zuvor. Einem Bericht zufolge, dessen Echtheit zu bezweifeln wir keinen Grund haben, richtete sich Renoir im ersten Stock eines Cafés beim Pont-Neuf häuslich ein, um Skizzen von Passanten zu zeichnen, die sein Bruder nach der Zeit fragte, damit sie einen Augenblick stillhielten.

Das Atelier hatte Renoir in der Rue Visconti, aber er gab es bald wieder auf. Er mietete sich ein Zimmer in der Rue du Dragon. 1872 erlitt er mit seinen *Pariserinnen und Algerierinnen* beim Salon eine neue Niederlage; das Bild hätte er ebensogut Huldigung an Delacroix nennen können. Die Gemälde dieses Künstlers, von denen einige durch die Zeit schwer gelitten haben, bezeichnete Renoir als »einen Frühling von Farben«, Delacroix' *Frauen von Algier* hielt er für »das schönste Bild der Welt«. Renoir besaß nicht das qualvolle Genie des Schöpfers des *Gemetzel von Chios*; er zog diesem Gemälde zweifellos den *Tod des Sardanapal* vor oder die in weniger bühnenmäßigen Räumen schlafenden, nackten Odalisken. Er liebte den Koloristen Delacroix – wie er Watteau und Fragonard und durch diese Rubens liebte –, und er bewunderte ihn so sehr, daß er fortfuhr, in dessen Weise zu malen.

Monet, mit dem sich Renoir in Argenteuil wiedertraf, stellte ihn dem Kunsthändler Durand-Ruel vor und später Gustave Caillebotte, der ebenfalls Maler war, aber glücklicherweise einen begüterten Vater hatte. Durand-Ruel kaufte den Künstlern Bilder ab, aber er fand kaum

Die Orangenverkäuferin, 1885-90. Rötel

FRÜHSTÜCK DER RUDERER, 1881
Öl auf Leinwand, 129,5 × 172,7 cm
The Phillips Collection, Washington D.C.

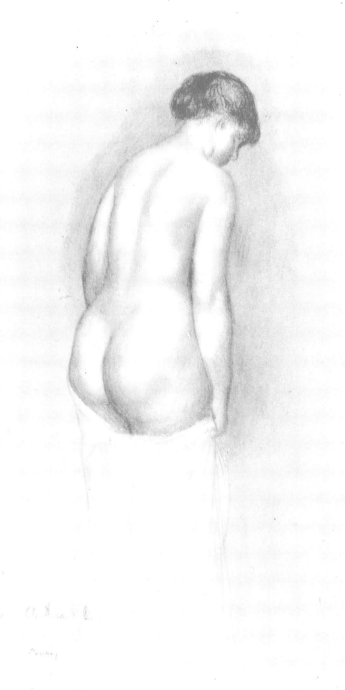

Die Badende, 1883. Rötel

Abnehmer dafür und sah sich zeitweilig gezwungen, den Ankauf einzustellen. Durch Degas lernte Renoir Théodore Duret kennen, der noch nicht wußte, daß er der Geschichtsschreiber jener Künstler werden sollte, deren verschmähte Werke er sammelte. Renoir verließ nun das linke Seineufer, wo er in der Rue Notre-Dame-des-Champs eine Zeitlang ein Atelier besaß, und übersiedelte in die Rue Saint-Georges, Nummer 35. Dort sollte er seinen ersten wirklich festen Wohnsitz finden. Einige Verkäufe an kleine Händler – Portier in seinem Zwischenstock in der Rue Lepic; Martin in seinem kleinen, im Erdgeschoß gelegenen Geschäft in der Rue des Martyrs – erleichterten dem Künstler die Existenz, ohne ihm jedoch ein geregeltes Leben zu ermöglichen. Seine Mahlzeiten nahm er bei der Milchfrau gegenüber ein, die ihm auch Kredit gewährte.

Im Jahr 1874 – einem großen Jahr – beschlossen Renoir und seine Freunde die Gründung der *Anonymen Gesellschaft der Kunstmaler, Bildhauer und Graphiker*. Sie hatten genug davon, sich vom Salon ständig zurückweisen zu lassen, dem Renoir vergebens seinen *Reitweg im Bois de Boulogne* anbot. Die Künstler wollten von nun an gemeinsam ausstellen, ohne um Erlaubnis zu fragen, und die Öffentlichkeit sollte ihr einziger Richter sein. Das erscheint uns heute so naheliegend wie natürlich. Damals aber wirkte der Beschluß wie ein Donnerschlag und verursachte einen Skandal, denn die Künstler hatten ja keine neue Schule gegründet oder sich verbündet, um eine neue Konzeption von der Kunst durchzusetzen, sie wollten ganz einfach trotz der Feindschaft der offiziellen Jury bekannt werden. Die erste Ausstellung der *Anonymen Gesellschaft der Kunstmaler, Bildhauer und Graphiker* fand vom 15. April bis 15. Mai 1874 bei dem Photographen Nadar, 35 Boulevard des Capucines, statt und war von

zehn Uhr morgens bis fünf Uhr nachmittags sowie – welche Kühnheit! – von acht bis zehn Uhr abends geöffnet. Renoir hatte als Mitglied des Komitees die Bildplacierung übernommen. Der Katalog enthielt weder ein Vorwort noch eine Erklärung. Die dreißig Aussteller waren: Zacharie Astruc, Antonin-Ferdinand Attendu, E. Beliard, Eugène Boudin, Félix Bracquemond, Edouard Brandon, Pierre-Isidore Bureau, Adolphe-Félix Cals, Paul Cézanne, Gustave Colin, Louis Debras, Edgar Degas, Jean-Baptiste Guillaumin (der später mit Armand Guillaumin unterzeichnete), Louis Latouche, Ludovic-Napoléon Lepic, Stanislas Lépine, Jean-Baptiste-Léopold Levert, Alfred Meyer, Auguste de Molins, Claude Monet, Berthe Morisot, Mulot-Durivage, Joseph de Nittis, Auguste-Louis-Marie Ottin, Léon-Auguste Ottin, Camille Pissarro, Pierre-Auguste Renoir, Stanislas-Henri Rouart, Léopold Robert, Alfred Sisley.

Frau bei der Toilette, 1916. Rötel

Bleistiftstudie für das Porträt von Julie Manet, 1887. Privatsammlung, Paris

Unter den fünf Gemälden von Claude Monet war eines, dessen Name – *Impression, aufgehende Sonne* – allgemein als lächerlicher Unsinn angesehen wurde. Nun galt es ein Etikett für die Maler zu finden, die ja eine »anonyme« Gesellschaft gegründet hatten. Der Bequemlichkeit halber und um sich über sie zu mokieren, nannte man sie Impressionalisten und später Impressionisten. Renoir amüsierte sich darüber. Als man ihn viel später einmal bat, die Entstehung dessen zu erklären, was die ganze Welt unter dem Begriff Impressionismus verstehen gelernt hatte, parierte er mit einem Scherz:

»Einer von uns hatte kein Schwarz mehr auf der Palette. Er nahm Blau. Alles andere kam davon.«

Bei dieser ersten Ausstellung der Gruppe hatte Renoir fünf Bilder – *Tänzerin, Die Loge, Die Pariserin, Die Schnitter, Frauenkopf* – und eine Pastellskizze gezeigt. Über ihn zog man

Frauenkopf. Reißkohle

Mädchen mit Korb. Rötel

viel weniger her als über Cézanne, ja er verkaufte sogar *Die Loge*[1] (für vierhundertfünfundzwanzig Franken). Für die Männergestalt hatte Renoirs Bruder Edmond gesessen; die Frau, ein Berufsmodell, hörte auf den Spitznamen *Nini das Rochenmaul.* Paul Jamot schrieb über *Die Loge:* »Dieses Meisterwerk der Meisterwerke ist eines der seltenen Bilder, wo uns alles durch das Überraschende, Neue und Unerwartete entzückt und gleichzeitig einen Vergleich mit den größten Meistern der Kunst heraufbeschwört. Eine junge, prächtig gekleidete Frau bietet sich unseren Blicken in einer jener engen Zellen dar, die wie Schmuckkästchen gebaut zu sein scheinen. Das Gemälde ist ein Porträt, und es ist ein funkelndes Bild von mondänem Luxus und weiblicher Eleganz... Aber wenn die behandschuhte Rechte der Frau nicht ein Opernglas hielte und auf einer roten Samtbalustrade ruhte und wenn nicht ein Stückchen dahinter im Halbschatten der Mann, der unerläßliche, sich diskret zurücklehnende Begleiter durch ein Opernglas blickte, wüßten wir nicht sofort, daß uns Renoir ins Theater geführt hat.«

Die Loge, für die der große Sammler Samuel Courtauld 1916 eine Million bezahlte, ist zwar nicht »das Meisterwerk der Meisterwerke Renoirs«, aber es ist doch eines seiner wunderbarsten. Offen gesagt, der individuelle Stil Renoirs kommt in ihm noch nicht zum Durchbruch. Die Zeichnung betont die Form und läßt sie aufleuchten; noch

(1) Siehe Seite 10.

Studie für den
»Tanz in Bougival«,
1883
Tinte und Buntstift
Privatsammlung

DER TANZ IN DER
STADT, 1883
Öl auf Leinwand
130 × 90 cm
Musée du Louvre
Jeu de Paume, Paris

DER TANZ IN
BOUGIVAL, 1883
Öl auf Leinwand
181,8 × 98,1 cm
Museum of Fine Arts
Boston
Massachusetts

erzeugt nicht die Form selbst, wie in Renoirs späteren Werken, eine zarte, wunderbare Glut. In der *Loge* beherrscht der Realismus des Themas den malerischen Schwung. Sie ist von vollendetem Geschmack, großer Eleganz und Gepflegtheit. Tiefes, glänzendes, samtartiges Schwarz bringt die erlesene Zartheit der anderen Farbtöne erstklassig zur Geltung, es betont das Weiß des Mieders, der Handschuhe und der Hemdbrust; und die roten und gelben (man möchte sagen: goldenen) Töne sind aufeinander abgestimmt und verbreiten eine prunkvolle Atmosphäre. Würde man das *Porträt von Madame Charpentier und ihren Kindern*[1] nicht kennen, das Renoir 1876 malte, dann hielte man es für unmöglich, daß ein Künstler, der mit dreiunddreißig Jahren ein solches Werk geschaffen hat, sich selbst noch übertreffen könnte. Aber Renoir ging immer weiter und stieg immer höher, was das rein Handwerkliche des Bildes anbelangt und auch dessen Geist, seine Konzeption, seine Seele.

In dieser Zeit interessierte sich Renoir, im Gegensatz zu seinen Freunden Monet und Sisley, bereits für die menschliche Gestalt. Wenn er die beiden auch ins Freie begleitete, so dachte er doch vor allem über das Problem nach, Personen in die Landschaft einzuführen. Renoir hielt eine Landschaft für gelungen, wenn man Lust verspürte, darin spazierenzugehen. Also stellte er Spaziergänger hinein; er verlor in seinen »Ausschnitten aus der Natur« nie den Menschen aus den Augen. Renoir war von Anfang an der am wenigsten impressionistische der Impressionisten; die Aufteilung der Töne und die gleichzeitige Kontrastierung der Farben war bei ihm eine Spielerei und keine Entscheidung, die er fällte. Renoir liebte es nicht, wenn sich ein Künstler darin gefiel, den »Denker« zu spielen. Die Philosophie der Kunst beschäftigte ihn weniger als das Handwerkliche. »Ich habe zwei oder drei Bilder mit dem Messer gemalt, dem Verfahren, das Courbet so gern anwandte; danach habe ich mit dem Pinsel die reine Paste aufgetragen. Einige Stücke sind mir vielleicht gelungen, aber ich fand diese Verfahren nicht so gut, daß ich darauf zurückgreifen möchte. Man mußte mit dem Messer das Mißlungene abheben, und ich konnte, wenn es sich nach der ersten Sitzung als notwendig erwies, eine Figur nicht mehr auf einen anderen Platz stellen, ohne meine Leinwand abzukratzen. Ich habe versucht, in kleinen Farbtupfen zu malen, was mir schon eher ermöglichte, einen Ton in den anderen übergehen zu lassen, aber diese Arbeitsweise ließ die Bilder runzelig werden, und das liebe ich nicht... In den Zwischenräumen setzt sich Staub an, der die Farbtöne verdirbt.«

Nach der *Loge* trug Renoir die Farben am liebsten in kleinen, durchsichtigen Tupfen übereinander auf, die auf der Leinwand und auch im Auge des Beschauers den gewünschten Ton erzeugten, ohne daß der Maler vom Beschauer eine besondere Sehtechnik verlangen mußte. Genausowenig wie Renoir der Kunst die Wissenschaft aufzwingen wollte, verbarg er seinen Wunsch zu gefallen; und er wählte die Mittel, diesen Wunsch zu verwirklichen, selbst. Sein innerstes Wesen war es, das ihn Porträts und Figuren liebenswert malen ließ – weil er sie in Wirklichkeit so sah und nicht, weil er um jeden Preis bezaubern wollte. Dadurch lief Renoir freilich manchmal Gefahr, nur die Erfolge kleiner Meister zu erringen. Eine Periode des Künstlers, die man seine »mondäne« nennen könnte, ist in dieser Hinsicht ein wenig irritierend.

(1) Siehe Seite 22 und 23.

DIE TÖCHTER DES CATULLE MENDÈS, 1888. Öl auf Leinwand, 163 × 130 cm
Sammlung Mr. Walter H. Annenberg, New York

Diese Periode begann mit einem Abenteuer, das sich für Renoir unheilvoll gestaltete. Sisley, Berthe Morisot und er hatten 1875 beschlossen, im Hôtel Drouot einen öffentlichen Verkauf ihrer Werke zu veranstalten. Renoir erzielte für sein Bild *Pont-Neuf* mit ganzen dreihundert Franken den höchsten, für seine *Spazierengehende Frau* mit fünfzig Franken den niedrigsten Preis. Zwanzig Gemälde brachten ihm keine zweitausend Franken ein. Glücklicherweise war einer der Käufer Victor Choquet und ein anderer der Verleger Georges Charpentier. Choquet, der lange ein bescheidener, aber eifriger Verteidiger von Renoirs Kunst war, bestellte sogleich sein Porträt und das seiner Frau bei Renoir. Charpentier, der für den *Angler* einhundert-achtzig Franken bezahlt hatte, führte Renoir in ein Milieu ein, das sich nicht nur nach und nach auf seine finanzielle Lage günstig auswirkte, sondern auch seine Kunst reifen ließ: den berühmten Salon von Madame Charpentier in der Rue de Grenelle.

»Ihr verdanke ich es«, sagte Renoir, »daß ich den Sprung gemacht habe.«

Georges Charpentier, dessen Vater die berühmte Bücherei gegründet hatte, in der die Romane von den Brüdern Goncourt, Daudet, Flaubert, Zola und den naturalistischen Schriftstellern erschienen, wäre Maler geworden, wenn er hätte wählen können. In seiner Junggesellenzeit hielt sich Charpentier oft an der Grenouillère auf, wo unter anderen hübschen Mädchen auch Jeanne Samary zu finden war, die von allen Zizi genannt wurde; er verkehrte viel bei Fournaise in Bougival und im Tortoni, wo sein Tisch »der Tisch der guten Kerls« hieß. Seine Frau Marguerite war die Tochter von Gabriel Lemonnier, des Hofjuweliers im Zweiten Kaiserreich, der an der Place Vendôme wohnte. Marguerite kannte, wie es heißt, ganz Paris, sie liebte Empfänge, die Literatur, das Theater, die Mode und war auch der Malerei nicht abgeneigt. Wenn sie sich bereit erklärte, Renoir und später auch seine Freunde bei sich zu empfangen, dann tat sie es vor allem, um ihrem Gatten eine Freude zu bereiten, denn sie wollte ihm seine Jugendträume nicht verleiden und ihn nicht von der Gesellschaft fernhalten, in der er vor der Ehe verkehrte. Marguerite war eine kluge und liberale Frau. Sie war die erste, so wird berichtet, die in ihrem Salon Menschen aus allen Schichten versammelte. Man sah bei ihr die Herzogin von Rohan, die Herzogin d'Uzès, Gambetta und Jules Grévy, Charles Floquet und Henri Rochefort, Jules Ferry und Clemenceau; Jeanne Samary, die Schauspielerin, verkehrte ebenfalls dort und natürlich auch Zola sowie dessen Freunde und Rivalen Daudet, Edmond de Goncourt und zeitweise Flaubert; die Musik war durch Saint-Saëns, Massenet und Bruneau vertreten, denen sich später Reynaldo Hahn und Chabrier beigesellten; Séverine lernte bei Madame Charpentier Forain kennen, Yvette Guilbert sang von Bruant, die Ménard-Dorians hörten Cernuschi die Pracht des Orients preisen.

Madame Charpentier scheint für Renoir, dessen ungeschliffener Geist sie bezauberte, ebensoviel Zuneigung wie Bewunderung empfunden zu haben. Der Künstler blieb der Freund der Familie. Er malte ein Porträt von der Dame des Hauses, vom Hausherrn, von den Kindern und eines von Mutter und Kindern zusammen. Madame Charpentier war die Schwester der Großmutter mütterlicherseits von Michel Robida, dem Romanschriftsteller; Robida ruft uns in einem seiner Bücher die schönen Abende in der Rue de Grenelle ins Gedächtnis zurück, in dem er sagt: »Keiner dieser Züge überrascht jedoch, wenn man mit ein wenig Aufmerksam-

Wäscherin und Studien für ein Porträt, 1890-95. Rötel. Privatsammlung

FRAU MIT WEISSEM HUT, 1895. Öl auf Leinwand, 65 × 54 cm
Privatsammlung, Tokyo

Der Blumenhut, 1897. Lithographie

keit das hübsche Gesicht betrachtet, das Renoir mehrmals gemalt hat und das mich heute noch anlächelt, wenn ich ihm im Louvre einen Besuch abstatte. Die Anmut dieser Frau, die graziöse Haltung des leicht zurückgebogenen Kopfes, der Blick der grauen, spöttischen Augen, die Eleganz des Schmuckes und der Spitzen, die Rose am Mieder, die sie mit lässiger Hand festhält, das alles zeugt von großem Geschmack, von Gewandtheit, einem erheuchelten Sichgehenlassen, von Intelligenz, Erfahrung und einem wachen, regen und scharfen Geist; aber es verrät auch eine leichte Überlegenheit und Belustigung, ja sogar fast eine Spur Mißtrauen.« Dies alles verstand Renoir in ein Porträt zu legen, abgesehen von dem Zauber der reinen Malerei, über die wir später sprechen werden. Marguerite Charpentier bat den Maler auch, ihre Speisekarten mit Zeichnungen und ihr Haus mit Wandgemälden zu verzieren. 1876 verbrachte Renoir einen Monat bei Alphonse Daudet in Champrosay, wo er das Porträt der Hausherrin malte, eine Gunst, die er zweifellos der Freundschaft und Protektion von Marguerite Charpentier verdankte.

Im Jahr 1876 fand auch die zweite Ausstellung der *Anonymen Gesellschaft der Kunstmaler, Bildhauer und Graphiker* statt. Sie wurde bei Durand-Ruel abgehalten. Renoir war mit fünfzehn Bildern vertreten, die Choquet gehörten. Die Kritiker in den großen Zeitungen legten die Waffen nicht nieder; Albert Wolf wagte es, im *Figaro* zu schreiben: »Versuchen Sie doch, Herrn Renoir zu erklären, daß der Körper einer Frau nicht eine Masse verwesenden Fleisches mit grünen und bläulichen Flecken ist, die den Zustand vollkommener Fäulnis einer Leiche erkennen lassen!« Trotzdem wurde Renoir zum Salon zugelassen, und Castagnary wies in seinem Bericht darüber vor allem auf »die schönen, lebendigen Porträts von Herrn Renoir und Fräulein Morisot« hin. Renoir blieb der Rue Saint-Georges treu, er empfing seine Freunde in seinem Atelier; das kostbare Zeugnis von diesen Zusammenkünften ist das Gemälde *Treffen in der Rue Saint-Georges*, auf dem Lestringuez, Rivière, Pissarro, Cabaner und Cordey zu erkennen sind. Dieselben Freunde sowie Franc-Lamy saßen ihm auch im Garten in der Rue Cortot, den er mietete, um weiterhin Freilichtzeichnungen von Menschen schaffen zu können, die sich lebhaft bewegten. Dort entstanden *Moulin de la Galette*, *Die Schaukel*[1] und *Torso Annas*, die sich heute im Louvre befinden.

Wenn auch nach den Feststellungen eines Fachmannes wie Henri Rouart, der *Moulin de la Galette* einst im Glanz seiner Neuheit sah, das Bild in jüngster Zeit durch unvorsichtiges Reinigen gelitten hatte, so bringt doch dieses großartige und gleichzeitig stimmungsvolle Werk das Streben Renoirs und seiner Freunde am besten zum Ausdruck: mit der Augenblicklichkeit einen ungewöhnlichen Reichtum des Bildthemas zu verbinden, das Atelierlicht durch das Sonnenlicht zu ersetzen, Gemälde zu komponieren, die – ohne zu lügen – einen Eindruck vom täglichen Leben vermittelten und gleichzeitig Schönheit und Freude ausstrahlten. Raoul Dufy transponierte dieses Gemälde auf seine Manier, um Renoir zu huldigen, den er mit Recht einen seiner Vorläufer und Lehrer nennt. Vielleicht wollte Renoir, als er so viele Porträts – darunter das des Malers Gervex – auf einer so großen Leinwand (1,31 × 1,75 ½ m) abbildete, auch beweisen, daß er in der Lage sei, die Züge einzelner Personen festzuhalten

(1) Siehe Seite 9.

50

und gleichzeitig die Besonderheiten des modernen Lebens und der Mode auszudrücken. Da ihm das Publikum und die Kritiker weiterhin feindlich gesinnt blieben, sagte sich Renoir vielleicht, daß er mit den Porträts von außergewöhnlichen Personen, einzeln dargestellt, wahrscheinlich mehr Erfolg haben würde. Der Betrag, den er für ein Porträt erhielt, hatte es übrigens Renoir ermöglicht, den Garten in der Rue Cortot zu mieten und die kleinen, »timbales« genannten Hüte zu kaufen, welche er den Frauen und Mädchen überreichte, die ihm zu *Moulin de la Galette* Modell standen.

1877 ist das Jahr der dritten Ausstellung der Impressionisten, die noch bei Durand-Ruel stattfand. In diesem Jahr malte Renoir auch das Porträt Jeanne Samarys, von der er sagte, sie habe eine Haut, »die Glanz verbreitet«. Ein neuer Verkauf im Hôtel Drouot brachte Renoir zweitausend Franken für sechzehn Gemälde ein, aber Madame Charpentier bezahlte ihm tausend Franken für das *Porträt von Madame Charpentier und ihren Kindern*, das inzwischen ins Metropolitan Museum in New York gelangt ist. Das Bild entstand 1878 und wurde 1879 in den Salon aufgenommen, sicherlich auf Grund der Persönlichkeit des Modells, sagte Renoir, der sich als den »gewöhnlichen Maler« des Porträts bezeichnete. Hier die Beschreibung Michel Robidas: »Meine Großtante sitzt in ihrem kleinen japanischen Salon, sie trägt ein langes, schwarzes Kleid von Worth, der schon der Schneider ihrer Mutter war. Das dunkle Kleid wird nur vom Brusttuch, von den hellen Ärmelmanschetten und einigen Brillanten aufgehellt, unter der weiten, ausgebreiteten Schleppe lugt ein Spitzenbesatz hervor. An ihrer Seite auf dem geblümten, vielfarbigen Sofa wirken die in blasses Blau gekleideten Kinder, ihr Sohn Paul und ihre Tochter Georgette, hell und frisch. Früchte, eine Kristall-karaffe und eine Vase mit Rosen stehen in ihrer Nähe auf einem Nipptisch. Ihr zu Füßen liegt der Hund Porto. Diese Komposition, auf der sich die Personen von einem Hintergrund aus Kakemonos und rot gelackten Täfelungen abheben, ist von unvergleichlicher Anmut und Eleganz. Die Stimmung des Bildes ist so schön, daß Marcel Proust, der viel im Salon Charpentier verkehrte und das Gemälde in der Rue de Grenelle gesehen hatte, es auf den ersten Seiten seines Romans *Temps retrouvé* als ›die vollkommenste Geisterbeschwörung ihrer Zeit‹ bezeichnete.«

Marcel Proust schrieb wirklich: »Die Poesie eines eleganten Heimes und schöner Toiletten unserer Zeit, ist sie für die Nachwelt nicht viel eher im Salon des Verlegers Charpentier eingefangen als in dem Porträt der Fürstin Sagan oder der Gräfin de La Rochefoucauld?« Er fährt fort, und Renoir hätte ihm darin sicherlich beigestimmt: »Wenn in ihm die Liebe zum Schönen erwacht, sucht der Künstler, der alles malen kann, die so prächtige Motive bietende Eleganz zunächst bei Modellen aus Kreisen, die ein wenig reicher sind als er; denn dort findet er das, was es in seinem Atelier nicht gibt, in dem Atelier eines verkannten Genies, das seine Gemälde für fünfzig Franken verkaufen muß: einen Salon mit Möbeln in alter Seide, viele Lampen, schöne Blumen, schöne Früchte, schöne Kleider.«

Als man seine Bilder im Salon einmal gut placierte, errang Renoir einen Erfolg, den die Zeilen Castagnarys bezeugen: »Das *Porträt von Madame Charpentier und ihren Kindern* ist eines der interessantesten Werke... Die Palette ist von außergewöhnlicher Vielfalt. Ein flinker und geistreicher Pinsel hat alle jene Gegenstände erfaßt, die den Zauber dieses Interieurs ausmachen. Seine raschen Striche verliehen ihnen die lebendige und lächelnde Anmut, die die Farbe reizvoll macht. Weder im Arrangement noch in der Ausführung ist ein Zug konventionell. So scharf die Beobachtungsgabe des Künstlers ist, so frei und spontan ist seine Malweise. Das Gemälde birgt Elemente einer lebensvollen Kunst, deren Weiterentwicklung wir zuversichtlich entgegensehen.« Obwohl diese Weiterentwicklung stattfand, wurde das Porträt – eines der schönsten der französischen Schule – als das größte Meisterwerk Renoirs angesehen, und dies ist verschiedentlich heute noch der Fall. Den Künstler ärgerte das ein wenig, denn er hatte sein letztes Wort noch lange nicht gesprochen. Wenn man vor ihm das prächtige Schwarz und die wundervollen Blautöne des ausgezeichneten, köstlichen Werkes pries, protestierte er auf seine Weise, die nie heftig oder beleidigend war: »Bringt es in den Louvre, und mich laßt in Frieden.«

Renoir, der nun regelmäßig zum offiziellen Salon zugelassen wurde, hörte erst 1890 auf, daran teilzunehmen. Er fehlte bei den eigenen Ausstellungen der Impressionisten in den Jahren 1879, 80 und 81. 1879 unternahm er mit Lestringuez seine erste Reise nach Algerien, wohin ihn zweifellos die alte Bindung an Delacroix zog. Renoir hatte nicht im Sinn, sich ausschließlich dem Porträtieren von Damen der großen Welt zu widmen, er kehrte zu seinem Lieblingsthema zurück, den Mädchen aus dem Volke. Hierher gehört Margot, von der ein Porträt im Louvre hängt. Die Geschichte des Mädchens gibt uns einen rührenden Eindruck von der Güte und Großzügigkeit Renoirs. Margot war krank, man wußte nicht genau, woran sie litt. Renoir schrieb an Dr. Gachet, dessen Bekanntschaft er gemacht hatte. Er sorgte und quälte sich. Aber Gachet, der kurz zuvor Opfer eines Eisenbahnunfalles wurde, konnte dem Ruf Renoirs nicht folgen. Der Künstler wandte sich an einen anderen seiner Bewunderer, an Dr. de Bellio. Dieser behandelte das Mädchen, aber ohne Erfolg. Renoir versuchte es noch einmal bei Dr. Gachet: »Ich weiß, Sie werden das Unmögliche vollbringen.« Die Schwindsucht kannte jedoch kein Erbarmen. Renoir schrieb: »Lieber Doktor, das kleine Mädchen, das Sie die Güte hatten, in Ihre Obhut zu nehmen – leider zu spät –, ist gestorben. Ich bin Ihnen dennoch zu großem Dank verpflichtet für die Erleichterungen, die Sie ihr verschafften, obwohl wir beide wußten, daß es zwecklos ist. Ihr sehr ergebener Renoir.« Zur selben Zeit bewegte er Marguerite Charpentier dazu, sich der unglücklichen Kinder anzunehmen, die er in den bescheidenen Wohnungen am Montmartre leiden sah, wohin er sich begab, um die Mütter zu überreden, ihm zu sitzen. Die Stiftung eines Säuglingsheimes krönte seine Bemühungen.

Damals war Renoir oft mit Pissarro, Sisley, Monet und Dr. Gachet bei den Essen, die der Zuckerbäcker Mürer am Boulevard Voltaire jeden Mittwoch für sie gab. Er malte das Porträt Mürers und das seiner Schwester Marie Meunier und überließ ihm für einen Imbiß einige seiner Bilder.

Bei diesen Festessen, auf denen es, wie man sich leicht vorstellen kann, recht lebhaft zuging, wurde der Plan für einen Salon entworfen, den Renoir ersonnen und Mürer, der nebenher schrieb, in der *Chronique des Tribunaux* veröffentlicht hat; es war der *Salon unique*, von dem man 1958 wieder sprach und der folgendes bestimmte:

Badende, 1884-85. Rötel. Privatsammlung, Paris

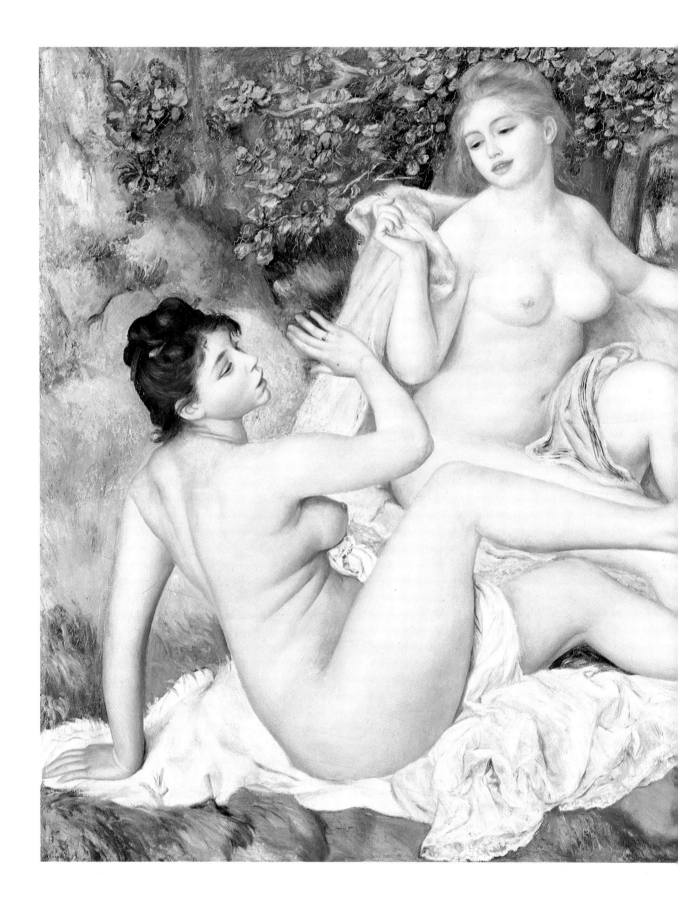

DIE GROSSEN BADENDEN
1887
Öl auf Leinwand
117 × 171 cm
Philadelphia Museum
of Art

Junges Mädchen bei der Toilette. Rötel

Artikel I. - Der Salon wird in vier Gruppen aufgeteilt, die vom Ehrensalon bis zu den abgelegensten Salons reichen und sich in die Räumlichkeiten teilen.

1. Gruppe: Die Mitglieder des Instituts und die bereits früher Ausgezeichneten.

2. Gruppe: Die Ausländer, die von ihren Delegierten in Paris beurteilt werden.

3. Gruppe: Die Idealisten, Geschichte, Genre usw.

4. Gruppe: Die Naturalisten, Impressionisten, Stilleben usw.

Artikel II. - Jede Gruppe bildet sich im voraus. Sie setzt sich aus vierhundert Mitgliedern zusammen. Diese Zahl darf nicht überschritten werden.

Artikel III. - Jede Gruppe benennt ihre Prüfungskommission, diese schließt sich mit den anderen drei Kommissionen zusammen und wählt mit ihnen frei und unabhängig die Gemälde aus, die sie in ihre Abteilung aufnehmen will.

Artikel IV. - Die verschiedenen Kommissionen dürfen nicht mehr als je tausend Gemälde aufnehmen.

Artikel V. - Die eingesandten Gemälde, die nach einer endgültigen, von den vier Kommissionen gemeinsam durchgeführten Überprüfung nicht aufgenommen werden, sind in getrennten Räumen aufzuhängen, unter der Bezeichnung: nicht klassifiziert; sie werden im Katalog nicht geführt.

Mutter mit Kind

Artikel VI. - Die bereits früher Ausgezeichneten, wer es auch immer sein mag, haben kein Recht mehr, ohne Prüfung aufgenommen zu werden.

Es ist wirklich schade, daß die der *Chronique des Tribunaux* – die den Plan für den neuen Salon abdruckte – beigefügten Zustimmungserklärungen, auf denen gesagt wurde, man nehme sie im Büro der Zeitung entgegen, nicht in genügender Zahl eingingen. Das Projekt konnte nicht verwirklicht werden, dem gesunden Menschenverstand und dem rechten Maß in der Forderung nach Gerechtigkeit wurde nicht Genüge getan.

1880 gründete Georges Charpentier, um die Impressionisten zu

Coco (Claude Renoir) malend, c. 1906. Rötel

verteidigen und ihnen zu helfen, die Zeitschrift *La Vie Moderne*, danach eine Galerie am Boulevard des Italiens, wo er in der ersten Ausstellung die Werke Manets und in der zweiten die Monets zeigte. Renoir malte Landschaften in Chatou, in Croissy, an den Ufern der Seine, in Berneval, bei Paul Bernard in Wargemont in der Normandie; er malte die Küste und Kompositionen, die in derselben Richtung liegen wie *Moulin de la Galette: Die Muschelfischerin, Die Ruderer, Die Ruderpartie*; auf dem *Frühstück der Ruderer*[1] ist im Vordergrund Aline Charigot zu sehen, die bald Madame Auguste Renoir werden sollte. Aus demselben Jahr stammt auch noch das *Porträt von Paul Cézanne* in Pastell.

Nach seiner Hochzeit im Jahr 1881 reiste Renoir nach Guernsey, dann nach Italien, von wo er 1882 zurückkehrte. Er schrieb an Marguerite Charpentier: »Ich bin plötzlich zum Reisenden geworden, und das Fieber, die Werke Raffaels zu sehen, hat mich ergriffen. Ich habe also angefangen, mein Italien zu verschlingen. Jetzt könnte ich geradeheraus antworten: ›Jawohl, mein Herr, ich habe die Bilder Raffaels gesehen, ich habe das schöne Venedig gesehen usw.‹ Ich habe mich nach Norden gewandt, und ich werde bis an die unterste Spitze des Stiefels reisen, solange ich noch hier bin, und wenn ich das geschafft habe, werde ich ermattet zu Ihnen zum Frühstück taumeln. Ich hoffe, daß Sie mich trotz meiner Undankbarkeit empfangen werden. Einen Mann, der die Werke Raffaels gesehen hat! Soll ich Ihnen erzählen, was ich in Venedig gesehen habe? Bitte sehr: Nehmen Sie ein Boot und fahren Sie an den Quai des Orfèvres oder vor die Tuilerien, und Sie werden Venedig sehen. Die Museen? Gehen Sie in den Louvre. Veronese? Gehen Sie in den Louvre; eine Ausnahme bildet Tiepolo, den ich nicht kannte. Also lohnt sich die Reise nicht. Nein, das ist nicht wahr. Es ist schön, sehr schön, wenn das Wetter gut ist, die Lagune, Sankt Markus, einfach großartig; der Dogenpalast, einfach großartig. Im übrigen liebe ich Saint-Germain-l'Auxerrois mehr. *Nach Rom fahre ich, adieu Vene-e-dig, mein schönes Land, gelo-o-btes Land, du Paradis-radis.* Ich habe eine Studie vom Dogenpalast gemacht. Das hat noch keiner getan...« Er scherzte, er spöttelte und spaßte auf die Pariser Art, aber nur, um seine Rührung zu verbergen. Später bekannte er: »In meiner Malerei gab es damals einen Bruch.«

[1] Siehe Seite 34 und 35.

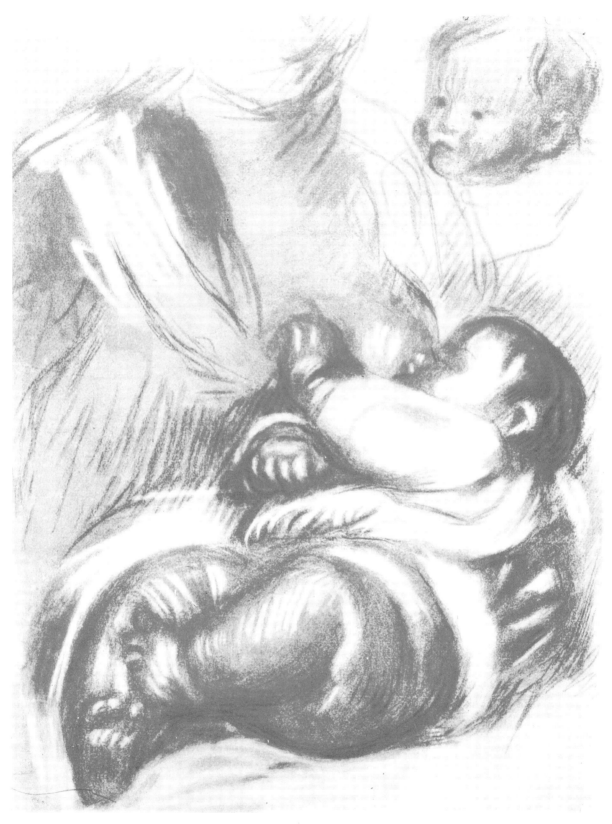

Studie für ein Mutterschaftsbild. Rötel und Kreide, 51,9 × 24 cm. Privatsammlung

Badende, sich abtrocknend.   Federzeichnung.   Musée du Louvre, Paris

BADENDE AUF EINEM FELSEN, 1892. Öl auf Leinwand, 80 × 64 cm
Privatsammlung, Paris

LIEGENDER AKT, c. 1890
Öl auf Leinwand, 33,5 × 41 cm
The Norton Simon Foundation, Pasadena, Kalifornien

▷

DIE SCHLÄFERIN, 1897
Öl auf Leinwand, 81 × 65,5 cm
Sammlung Oskar Reinhart »Am Römerholz«, Winterthur, Schweiz

DIE GUITARRENSPIELERIN, 1897. Öl auf Leinwand, 81 × 65 cm
Musée des Beaux-Arts, Lyon, Frankreich

Ein zweiter Brief an Marguerite Charpentier ist in dieser Hinsicht schon bedeutungsvoller: »…Ich habe viel in den Museen von Neapel studiert, die Malereien von Pompeji sind in jeder Weise ungeheuer interessant. Ich halte mich auch viel in der Sonne auf, nicht um Porträts zu malen, sondern um mich auf- zuwärmen und mir alles gut anzusehen, und ich habe, so glaube ich, die Größe und Einfachheit der alten Meister erlangt. Raffael, der nicht im Freien arbeitete, hatte dennoch die Sonne studiert, denn seine Fresken sind voll davon… Ich hoffe, daß ich nach meiner Rückkehr nach Paris etwas schaffen werde, was das Ergebnis dieser Studien ist, und daß ich Sie daran teilhaben lassen darf.«

Obwohl Renoir der Musik Wagners jene von Couperin oder Grétry vorzog, die alten französischen Weisen, die er für »gut gezeichnet« hielt, so bat er doch den Schöpfer des *Parsifal*, als er von seiner Anwesenheit in Palermo hörte, ihn malen zu dürfen. Wagner war bereit, zwanzig Minuten lang für

Ambroise Vollard, 1904. Lithographie

Renoir zu sitzen, und in dieser Zeit entstand das Porträt, dessen Replik aus dem Jahr 1893 sich im Musée de l'Opera befindet. Später reiste Renoir nach Bayreuth, und er gab zu, daß er sich langweilte. 1882, als er mit Cézanne in l'Estaque malte, zog er sich eine Lungenentzündung zu, von deren Folgen er sich in Algerien erholte. Den Künstler quälten heftige Zweifel: »Ich war dem Impressionismus bis an die äußerste Grenze gefolgt und mußte feststellen, daß ich weder malen noch zeichnen konnte.« Er nahm zum letztenmal an der Ausstellung der *Anonymen Gesellschaft der Kunstmaler, Bildhauer und Graphiker*, jetzt die *Unabhängigen* genannt, teil und schickte vierundzwanzig Gemälde ein, darunter das *Frühstück der Ruderer*. Dann kehrte er nach Italien zurück, um dort Raffael von neuem zu verehren, um in Pisa Benozzo Gozzoli und in Arezzo Piero della Francesca zu entdecken. Er befand sich in einer tiefen geistigen Krise.

In dieser Zeit fiel Renoir der von Franc-Lamy bei einem Antiquar an der Seine entdeckte *Traktat über die Malerei* von Cennino Cennini in die Hand. Das Werk war lange sein Lieblingsbuch, und 1911 verfaßte er das Vorwort für eine Neuauflage. Dies ist Renoirs einzige theoretische Schrift; er schrieb: »Eine Rückkehr unseres Geistes in die Vergangenheit ist vielleicht in der heutigen Zeit nicht vergeblich. Wenn man sich in der Tat auch davor hüten muß, in den ererbten Formen haftenzubleiben, so ist es doch andererseits nicht notwendig, daß man sich aus Liebe zum Fortschritt gänzlich von den vorausgegangenen Jahrhunderten löst... Vor allem waren die Verhältnisse gegeben, die Kollektivwerke entstehen ließen und ihnen Einheitlichkeit verliehen; die Maler beherrschten alle das Handwerk in gleichem Maße. Das Handwerk, das wir heute nie mehr ganz kennen werden, weil keiner es uns lehren kann, seit wir uns von den Traditionen frei machten. Wohlan, das Handwerk der Maler der italienischen Renaissance war dasselbe wie jenes ihrer Vorgänger. Wenn die Griechen einen Traktat über die Malerei hinterlassen hätten, glauben Sie mir, er wäre identisch mit dem Cenninis. Die gesamte Malerei, angefangen bei der von Griechen geschaffenen pompejanischen über die Poussins bis zu der Corots, scheint von derselben Palette zu stammen. Diese Malweise lernten sie alle bei ihren Meistern; ihr Genie, so sie welches besaßen, vollbrachte das übrige.«

Renoir fügte hinzu, daß das religiöse Gefühl, »ihre fruchtbarste Inspirationsquelle«, ihren Werken »die Erhabenheit und Reinheit, die wir so bezaubernd finden«, verlieh. Er befürchtete, daß der moderne Rationalismus eine mit der Kunst unvereinbare Denkungsart sei. »In der Zeit ihrer Allmacht ließ die Kirche, die unter anderen Umständen tyrannisch war, den Künstlern eine fast unbegrenzte Freiheit. Der Glaube lenkte ihre Phantasie, die sich von nun an furchtlos an weltlichen Quellen nähren konnte. Ich frage mich in diesem Zusammenhang, ob die glühenden Rationalisten im Falle des Falles für die Künstler dieselbe Nachsicht aufbrächten wie der Papst, der sich nicht verletzt fühlte, als Raffael die Geschichte Psyches auf den Mauern der Villa Farnese verewigte.«

Hier sehen wir einen ganz anderen Renoir als den Anarchisten und Neuerer um jeden Preis, als den ihn uns verschiedene Kommentatoren vorstellten. Renoir wurde nicht unbewußt ein Klassiker. Er studierte, dachte nach; er verstand es, mit sich selbst zu brechen, als er die Notwendigkeit erkannte, die Ebene des »Aktualismus« zu verlassen und sich zu jener des ewig Dauernden emporzuschwingen.

Der weibliche Akt, der in seinem Werk bislang fast vollkommen fehlte, ermöglichte es ihm nach und nach, sein Ziel zu erreichen. Trotzdem verzichtete Renoir nicht auf die Landschaft, das Stilleben, das Blumenbild, aber sie dienten ihm nur dazu, darin weit mehr zum Klingen zu bringen als den Glanz des »Phänomens Licht«, wie man in jener Zeit sagte, in der sogar die Kritik experimentell sein wollte. Renoir glaubte gleich Leonardo da Vinci, daß die Malerei eine *cosa mentale* ist, daß »die fähigste Hand immer nur die Dienerin des Gedankens« und daß »das Malen als solches ein Handwerk ist wie das Tischlern und das Schmieden und denselben Regeln unterliegt«.

Das, war Renoir selbst seine »trockene Periode« nannte, war das unmittelbare Ergebnis seiner Begegnung mit Raffael und den Überlegungen, zu denen diese Begegnung ihn geführt hatte. Er kämpfte gegen seine Eleganz, seine Anmut und Mühelosigkeit. Er beschränkte seine Palette auf Erdtöne und Kobaltblau. Die Formen, die er vorher nur durch Farbschwankungen, Modellierungen und Konturen anzudeuten pflegte, umschloß er nun mit den schweren Linien

Louis Valtat, c. 1904. Lithographie

einer intellektuell geordneten Zeichnung. Er glaubte nicht mehr, daß es genüge, die Natur aufmerksam zu betrachten, um ihre Schönheiten ausdrücken zu können; die in den Museen erlangte Unterweisung mußte seiner Ansicht nach zu dem Wenigen hinzukommen, das der direkte Eindruck aus der Wirklichkeit vermittelte; er verzichtete auf das systematische Malen im Freien. »Draußen hat man viel mannigfaltigeres Licht als in dem immer gleichmäßig erleuchteten Atelier, aber gerade draußen wird man vom Licht gefangen; man hat keine Zeit, sich mit der Komposition zu befassen, außerdem sieht man draußen nicht, was man macht.«

Renoir entspricht absolut nicht der Vorstellung, die man vom Impressionismus hat. Der rein natürlichen Beleuchtung zog er die geheimnisvolle Leuchtkraft vor, die von jenen Werken der Malkunst ausströmt, an denen der Geist mindestens ebenso großen Anteil hat wie die Materie und die um so tiefer an die Seele rühren. Um die Materie auf den Platz zu verweisen, der ihr in einem Bild zukam, wollte Renoir die Farben glatt und durchsichtig, nur mit wenig Öl vermischt und frei von dem äußerlichen Zauber des Auftragens von sichtbar getrennten Farbflecken auf die Leinwand haben; diese Trennung der Farbflecken soll bewirken, daß der Laie sich einbildet, an der Arbeit des Künstlers teilzuhaben, was wiederum dessen Meisterschaft größer erscheinen läßt.

In seiner »trockenen« Periode, die man auch »Ingres-Periode« nannte und geradesogut als asketische oder raffaelitische Periode bezeichnen könnte, widmete sich Renoir am liebsten der Zeichnung um der Zeichnung willen – auf Papier und im Aquarell. Sein Meisterwerk aus dieser Zeit, das man über alle seine anderen Werke stellte, ist zweifellos *Die großen Badenden*[1]; Girardon inspirierte ihn dazu, denn Renoir hatte im Park von Versailles ein Basrelief Girardons gesehen: die *Nymphen.* Renoir gestaltete sie viel weniger sagenhaft, bei ihm sind sie recht menschlich, wenn er sie auch idealisiert. Er »patschte« – nach seinen eigenen Worten – mehr als drei Jahre auf dem 1,16 × 1,68 m großen Bild herum und hielt es für das gelungenste seiner Zeit der Reife. Auf jeden Fall markiert das Gemälde in seinem Gesamtwerk eine definitive Orientierung, auch wenn er sich später entschloß, eine weniger strenge Technik anzuwenden. Außerdem war Renoir viel zu sensibel und zu lebhaft, um sich eiserner Disziplin zu unterwerfen. Er schloß sich ein, weil er die Notwendigkeit dazu erkannte; aber er entfloh, übersprang die Mauer jedesmal, wenn ihn die Lust am Malen überwältigte.

Die Erinnerung an eine Landschaft Corots führte ihn nach La Rochelle, dort leistete er sich 1884 das Vergnügen, im Freien zu malen; er wurde erneut in La Roche-Guyon, wo er mit Cézanne weilte, rückfällig, in Wargemont und vor allem in Essoyes im Departement Aube, wo seine Frau geboren war und er jedes Jahr, bis zu seinem Tod, den Sommer verbrachte. Seine aus dieser Zeit stammenden Bilder *Der Tanz in Bougival*[2], *Der Tanz auf dem Lande* und *Der Tanz in der Stadt*[3] sind keineswegs der Frische beraubt, die an der *Schaukel*, dem

(1) Siehe Seite 54 und 55.
(2) Siehe Seite 43.
(3) Siehe Seite 42.

STILLEBEN MIT PFIRSICHEN UND TRAUBEN, 1881. Öl auf Leinwand, 53,3 × 64,7 cm
The Metropolitan Museum of Art, New York

70

ANTIBES, 1893
Öl auf Leinwand, 65 × 81 cm
Privatsammlung, London

◁

Die Tänzerin mit dem Tamburin
Studie

STILLEBEN MIT FRÜCHTEN AUS DEM SÜDEN, 1881. Öl auf Leinwand, 50,8 ×65 cm
The Art Institute of Chicago

Frühstück der Ruderer oder der *Moulin de la Galette* so bezaubert. Im übrigen dauerte Renoirs »trockene« Periode nicht lange, sie war nur ein Übergang.

Schon 1885 schrieb Renoir an Durand-Ruel: »Ich habe meine frühere weiche und leichte Malweise wieder aufgenommen und werde sie beibehalten... Sie bringt nichts Neues, aber sie ist eine Fortsetzung der Gemälde aus dem 18. Jahrhundert. Ich spreche nicht von den besten. Ich möchte Ihnen nur ein wenig meine neue und letzte Kompositionsweise erklären (Fragonard, nur weniger gut)... Ich vergleiche mich nicht, glauben Sie mir das bitte, mit einem Meister des 18. Jahrhunderts, aber ich muß Ihnen doch erklären, in welcher Richtung ich arbeite. Die Leute, die aussehen, als würden sie die Natur darstellen, wissen mehr von ihr als wir.«

Pierre Renoir, der später Schauspieler werden sollte, wurde 1885 geboren; *Mutter und Kind*, in das der Vater die Reinheit der Primitiven legte, stammt aus dem Jahr 1886. Das Bild hat nichts mehr von dem Feuer der *Loge* oder dem Porträt der Familie Charpentier. Renoir entdeckte seine Kunst neu und zeichnete mit rührender Unbeholfenheit ein schönes, klares und ergreifendes Bild, ohne sich allzu sehr zu bemühen, die »genauesten Proportionen des menschlichen Körpers« zu respektieren.

Renoir fehlte bei der letzten Ausstellung der Impressionisten, ebenso Monet, Sisley, Cézanne und Caillebotte. Berthe Morisot besuchte den Künstler. »Auf einer Staffelei eine Zeichnung in Rotstift und Kreide nach einer jungen Mutter, die ihr Kind stillt; bezaubernd in ihrer Anmut und Zartheit. Als ich sie bewunderte, zeigte er mir eine Serie nach demselben Modell und bis auf ein weniges in derselben Stellung. Er ist ein Zeichner erster Ordnung... Ich glaube nicht, daß man in der Wiedergabe der Form weiter gehen kann; zwei Aktzeichnungen von Frauen, die ins Meer steigen, bezauberten mich genauso wie jene von Ingres. Renoir sagte mir, daß er den Akt für einen unentbehrlichen Ausdruck der Kunst halte.« In dieser Zeit malte Renoir auch *Der Zopf*, ein Gemälde, für das ihm Suzanne Valadon Modell saß.

Sodann reiste Renoir mit Gallimard nach Spanien; er zog den Werken El Grecos und Tizians die von Velásquez vor und bestaunte, wie der Meister der *Meninas* einfach durch das Auftragen von Schwarz und Weiß die dicken, schweren Spitzen verblüffend echt darstellte; in dem kleinen rosafarbenen Band der *Infantin Margarita* sah er den Inbegriff der »ganzen Kunst der Malerei«. Renoir liebte es, wenn man beim Anblick eines Bildes die ganze Freude fühlte, die der Künstler beim Malen empfunden hatte, wenn die Leinwand »liebevoll mit dem Pinsel gestrichelt« worden war. In der *Hochzeit zu Kana* von Veronese, die sich im Louvre befindet, stellte Renoir fest, daß die Personen im Hintergrund zu klein geworden wären und das Gemälde dadurch leer gewirkt hätte, wenn der Künstler die genauen Regeln der Perspektive beachtet haben würde; nach Renoirs Ansicht hatte Veronese auch gut daran

JEAN RENOIR, NÄHEND, 1900. Öl auf Leinwand, 55,2 × 46,4 cm
The Art Institute of Chicago

PORTRÄT VON COCO, 1900   Öl auf Leinwand, 30 × 25 cm   Privatsammlung

getan, das Parkett nicht nach den Gesetzen der Proportion zu verjüngen, da die Kunst ihre eigenen Gesetze hat, welche die Vernunft nicht kennt.

Die großen Badenden, die Georges Petit in der Internationalen Ausstellung zeigte, wurden scharf kritisiert, vor allem von Huysmans, aber sie erregten dafür bei Wyzewa und verschiedenen anderen große Begeisterung.

Renoir näherte sich den Fünfzigern, als der Erfolg es ihm allmählich ermöglichte, seiner Familie materielle Sicherheit zu bieten. Er nahm an der Ausstellung der Gruppe der XX in Brüssel teil, seine Werke konnte man bei Dowdeswel in London sehen, und er war mit zweiunddreißig Bildern an der Sammlung von dreihundertzehn Werken der Impressionisten beteiligt, die Durand-Ruel in New York organisierte.

Renoir blieb einfach, er glaubte nicht anders sprechen zu dürfen, als es ein guter Handwerker getan hätte; seine Frau war »die Hausfrau«, sein Sohn »der Bube«; wenn er zum Zahnarzt ging, dann ließ er sich dort »die Klappe in Ordnung bringen«. Renoir fürchtete die Reklame, er schrieb an Mürer: »Wenn Sie Trublot (Pseudonym für Paul Alexis) sehen, sagen Sie ihm, daß er ein Prachtkerl ist, aber er würde mir eine große Freude machen, wenn er kein Wort über mich verlauten ließe; über meine Bilder soviel er will, aber es ist mir ein Greuel, zu denken, daß die Öffentlichkeit weiß, wie ich mein Kotelett esse und ob ich von armen, doch ehrlichen Eltern geboren wurde. Die Maler mit ihren jammervollen Geschichten sind höchst langweilig, und man macht sich nichts aus ihnen.«

1888 malte Renoir mit Cézanne in Jas de Bouffan, dann in Martigues; er begann die ersten Anzeichen des Rheumatismus zu spüren, unter dem er später so schrecklich litt. Die Lage des Künstlers war 1889 aber bei weitem noch nicht rosig; Monet veranstaltete eine Sammlung, um dem Louvre Manets *Olympia* anzubieten, und Renoir teilte ihm am 11. April mit: »Unmöglich, Geld aufzutreiben. Ich bin verzweifelt.« Erst im Januar 1890 schickte er Monet fünfzig Franken. In diesem Jahr richtete sich Renoir ganz oben auf der Butte-Montmartre im Château des Brouillards ein, wo er einen Pavillon neben dem von Paul Alexis innehatte. Dort kam seine sogenannte Perlmutter-Periode zum Durchbruch.

Renoir verzichtete nun darauf, der Form durch die Zeichnung genaue Konturen zu geben. Er modellierte sie jetzt mit dem Pinsel durch leichte, langgezogene Tupfen, die sich weich miteinander vermischen und verschmelzen. Sein Verfahren läßt sich nicht genauer analysieren. Man unterliegt einfach seinem eigenartigen Zauber, der genausowenig zu erklären ist wie die allein Correggio, Tizian und Watteau eigene malerische Poesie. Es handelt sich hier um jene hohe Meisterschaft, die man Genie nennt, die jedoch das Geheimnisvolle keinesfalls erläutert. Der Mensch erscheint wirklich als Schöpfer, der nicht außerhalb noch über der Gefühls-

DIE POST IN CAGNES, 1906. Öl auf Leinwand, 46 × 55 cm
Privatsammlung, Tokyo

STILLEBEN MIT BLUMEN, 1890
Öl auf Leinwand, 65,7 × 81,6 cm
The Metropolitan Museum of Art, New York

ROSEN NEBEN BLAUEM TAPETENBEHANG, 1908
Öl auf Leinwand, 48 × 54,5 cm
Privatsammlung, Paris

wirklichkeit steht, der aber fähig ist, sie einem Wunder gleichzumachen. Die Lebensmächte beseelen das Werk des Malers unmittelbar, und in diesem Werk erneuert sich, auf einem Stück Leinwand, der Zauber des Lichtes, des äußeren wie des inneren, der uns das Bewußtsein gibt, zu leben. Renoir besaß diese Gabe. Er brauchte nur eine Frucht, eine Blume, eine Frau oder irgend etwas aus der Natur darzustellen, um gleichzeitig das fühlen zu lassen, was die Sinne anspricht, und das, was der Geist unter der Oberfläche der Dinge wahrnimmt. In diesem Sinne sind das Helldunkel Rembrandts und die ruhige Klarheit von Renoirs Perlmuttertönen miteinander verwandt.

Hier ist nun der Ort, den Auszug aus einem Text Octave Mirbeaus anzuführen, der nicht in seine beiden Kunstkritik-Bände aufgenommen wurde: »Renoir scheint derselbe zu sein wie jene, die auf allgemeine Zustimmung versessen sind... Renoir malt, wie man atmet. Das Malen wurde für ihn die Ergänzung des Sehens. Andere haben Augen, für welche die Versuchung, umherzuschweifen, unwiderstehlich ist. Bei Renoir aber muß die Hand auf der Leinwand das Glück präzisieren, das die Augen erfuhren. Deshalb sieht man ihn auch oft, wenn er nicht arbeitet, auf einem Spaziergang oder auf Reisen, eine winzige Schachtel mit dem bemalen, was er vor sich hat, die Sonnenblumen im Garten eines Bahnwärters, eine Mauer, eine Bank, eine Rabatte, irgend etwas... Während die Theorien, die Lehren, die ästhetischen, metaphysischen und physiologischen Doktrinen der Kunst einander ablösten, entwickelte sich Renoirs Werk Jahr für Jahr, Monat für Monat, Tag für Tag so einfach, wie eine Blume sich entfaltet oder eine Frucht reift. Renoir war nicht darauf bedacht, sein Schicksal zu erfüllen. Er lebte und er malte. Er ging seinem Beruf nach. Das ist vielleicht sein ganzes Genie. Sein ganzes Leben und sein Werk sind eine Lektion über das Glück. Er malte mit Freude, mit genug Freude, um seine Lust am Malen nicht laut hinauszurufen, die von den schwermütigen Malern lyrisch-feierlich proklamiert wurde. Er stellte Frauen, Kinder, Bäume, Blumen mit dem bewundernswerten Ernst eines Mannes dar, der glaubt, daß die Natur sich seiner Palette so darbiete, als sei sie für alle Ewigkeit nur erschaffen worden, um gemalt zu werden... Renoir ist kein Prophet. Er sieht es nicht als seine Aufgabe an, Gericht zu halten über die Seele der Dinge. Ihr Aussehen genügt ihm. Er malt weder die Seele noch das Mysterium, noch die Bedeutung der Dinge, weil man nur ein wenig von der Bedeutung, dem Mysterium und der Seele der Dinge darstellen kann, wenn man sorgfältig auf ihr Aussehen achtet. Darin liegt das Geheimnis von Renoirs Jugendlichkeit und Freude. Die Natur ist nur gegen jene nachsichtig und gehorcht nur jenen, die ihr vertrauen und ihr nicht auf einen Schlag die großen Geheimnisse abverlangen. Renoir hat den Optimismus derer, die sich den Kräften der Natur und ihrem Instinkt ergeben. Wie ein Gelehrter nicht behauptet, die Materie zu kennen, sondern sie in allen ihren Erscheinungsformen mit einem übergenauen, treuherzigen Optimismus erforscht, so verfolgte Renoir die feinsten Übergänge von Farbe zu Farbe, von Nuance zu Nuance... Renoir ist wahrscheinlich der einzige große Künstler, der kein trauriges Bild gemalt hat. Bei ihm ist die Freude ebensoviel Zufall wie Absicht. Sie muntert ihn in seinem Handwerk genauso auf, wie das Licht die Dinge bestrahlt und sichtbar macht... Die Freude, die er beim Betrachten der Dinge empfindet, und die Überzeugung, daß er das wiedergegebene Bild dem aufgenommenen Bild gleichzumachen hat, erzeugt in ihm eine doppelte Heiterkeit. Er weiß, daß die Welt besteht und daß er dazu da ist, sie zu malen.«

Von 1890 bis 1894 trafen sich einmal im Monat jene Künstler im Café Riche zum Essen, die man weiterhin die Impressionisten nannte, obwohl mehrere von ihnen nicht mehr dazu zählten oder es nie wirklich gewesen waren. Man sah dort Monet, Pissarro, Renoir, Sisley, Caillebotte, ihre Freunde Dr. de Bellio, Duret, Mirbeau, manchmal Mallarmé. Gustave Geffroy brachte diese Treffen zu Papier: »Die Diskussionen nahmen manchmal einen sehr hitzigen Ton an, vor allem zwischen Renoir und Caillebotte. Renoir, nervös und sarkastisch, mit seiner spöttischen Stimme, dem mephistophelischen Aussehen, dem ironischen, launischen Lachen und dem bereits von der Krankheit geprägten Gesicht, hatte diebische Freude daran, den hitzigen, jähzornigen Caillebotte zu reizen, dessen ausdrucksvolles Gesicht rot, dann violett und sogar schwarz wurde, wenn seine Ansichten durch die grandiosen Übertreibungen verletzt wurden, die Renoir ihm vorzusetzen liebte.« Man sprach über alles: Kunst, Malerei, Literatur, Politik, Philosophie; und Renoir – um imstande zu sein, Caillebotte »auf die Palme zu bringen« – hatte sich den Luxus geleistet, ein großes, siebzehnbändiges Lexikon zu kaufen, in dem er, bevor er zu einem dieser Treffen ging, aufs Geratewohl etwas nachschlug. Renoirs »Lachgegner«, der 1894 starb, machte ihn dennoch zu seinem Testamentsvollstrecker. Erst 1897 erreichte Renoir dank seiner Hartnäckigkeit, daß der Staat sich, wenn auch widerwillig, bereit fand, die berühmte Sammlung Caillebotte (vier Manets, darunter der *Balkon*, sechzehn Monets, acht Renoirs, darunter *Moulin de la Galette*, dreizehn Pissarros, acht Degas', acht Sisleys, fünf Cézannes und einen Caillebotte) als Vermächtnis anzunehmen.

Von 1891 an reiste Renoir jedes Jahr in den Süden (Tamaris-sur-mer, Cassis, Martigues, Miramar, Nîmes und das Rhônetal); 1899 weilte er zum erstenmal in Cagnes, wo er 1903 einen von Olivenbäumen bestandenen Hügel erwarb; stets jedoch verbrachte Renoir zwei Sommermonate in Essoyes, wo nicht nur seine Frau geboren war, sondern auch Gabrielle Renard (die also nicht, wie man allerorts verkündete und noch heute behauptet, »eine stämmige Burgunderin« war), die zunächst bei ihm als Kindermädchen arbeitete und ihm später ebensosehr als Gouvernante (was sie mit Madame Renoirs Einwilligung im Hause Renoir wurde) wie als Modell unentbehrlich war. Renoir verherrlichte, ohne ihrer je müde zu werden, die Schönheit des gleichzeitig kräftigen und vollkommenen Körpers von Gabrielle Renard oder vielmehr *Gabrielle*[1], wie man sagt, wenn man eine der eindrucksvollsten Frauengestalten der Malerei heraufbeschwören will.

1892 stellte Durand-Ruel einhundertelf Gemälde Renoirs aus, die er von den Sammlern entliehen hatte. Madame Renoir litt, wie ihr Mann ironisch sagte, an der »Reiseleidenschaft«, aber er selbst wollte sich »nicht mehr weiter rühren als bis Saint-Cloud«. Gallimard brachte ihn trotzdem nach Pont-Aven, wo er die Bekanntschaft von Gauguin und Emile Bernard machte, dessen theoretische Reden ihn zu Tode langweilten.

(1) Siehe Seite 85 und 88.

PORTRÄT MADAME RENOIR, 1910. Öl auf Leinwand, 81,3 × 65 cm
The Wadsworth Atheneum, Hartford, Connecticut

Sebstbildnis, 1914. Bleistift

Sein zweiter Sohn, Jean, der Filmautor und -regisseur, kam 1893 zur Welt. 1894 lernte Renoir Vollard kennen. Im selben Jahr hatte er den ersten schweren Anfall von Rheumatismus: »Das wird einem zur Gewohnheit«, sagte er ein wenig später, »sprechen wir nicht mehr davon.« 1896 starb Renoirs Mutter, die seit 1874 Witwe gewesen war. 1901 erblickte Claude Renoir das Licht der Welt, der später Keramiker wurde; zunächst jedoch blieb er *Coco* [1], das reizende Kind, das sein Vater unsterblich machte.

1897 hatte Dr. Viau fast alle Renoirs aus der Sammlung Mürer erworben. Renoir wollte nun, auf Einladung Abel Faivres, in Essoyes das Radfahren lernen. Er stürzte vom Fahrrad und brach sich den Arm. 1903 übersiedelte die Familie endgültig nach Cagnes. Im Jahr 1900 wurde Renoir zum Ritter der Ehrenlegion geschlagen (zum Offizier ernannte man ihn 1912). Er stellte in Wien, Stockholm, Dresden, Berlin, London und Budapest aus. Über seine Blumensträuße schrieb man, sie seien »genauso ergreifend wie die Schlachten von Delacroix«.

Alles und jedes diente Renoir dazu, seine Lebenslust zum Ausdruck zu bringen. Er skizzierte Rosen und sagte: »Das sind Farbstudien, die ich für einen Akt anfertige.« Bei der Jahrhundertfeier stellte er zehn Gemälde aus. 1904 widmete man ihm einen Saal des Herbstsalons. Hier die Farbtöne seiner Palette: Krapplack, Zinnober, Braunrot, gelber Ocker, Neapelgelb, Smaragdgrün, Kobaltblau, Weiß und Elfenbeinschwarz. Im Jahr 1907 wurde bei Durand-Ruel das *Porträt von Madame Charpentier und ihren Kindern* für einundneunzigtausend Franken verkauft, und endlich, mit sechsundsechzig Jahren, lernte der Künstler den Wohlstand kennen.

Von 1910 an konnte Renoir sich nur noch mit Hilfe von Krücken von der Stelle bewegen. Renoir zeigte nun eine immer stärkere Vorliebe für Farbharmonien, in denen goldenes Rot vorherrschte. Als er spürte, daß man sich darüber beunruhigte, machte er darauf aufmerksam, daß mit der Zeit die Farben von selbst verblassen würden und daß die Patina der Jahre, wenn nicht der Jahrhunderte, den Rest täte. 1912 versagten Renoirs Beine und Arme ihren Dienst. Die Heiterkeit des Künstlers blieb ungetrübt. Er arbeitete mit dem Pinsel zwischen den einzigen beiden Fingern, die ihre Gelenkigkeit bewahrten, dem Daumen und dem Zeigefinger.

1914 wurde die Sammlung Isaac de Camondos in den Louvre aufgenommen, wo Renoir schon zu Lebzeiten Zugang fand, obwohl es die Regel vorschrieb, daß ein Künstler, um dieser Ehre teilhaftig zu werden, zehn Jahre tot sein müsse. Jacques-Emile Blanche sah Renoir in diesem Jahr: »Das Gesicht Renoirs war verwüstet, eingefallen und runzelig, sein Bart dünn; zwei kleine, blinzelnde Augen schimmerten feucht unter den Brauen, doch dieses Haar-

(1) Siehe Seite 75.

GABRIELLE MIT JEAN RENOIR UND EINEM KLEINEN MÄDCHEN, 1895
Öl auf Leinwand, 65 × 81 cm. Privatsammlung, U.S.A.

gestrüpp konnte ihren Blick nicht weniger sanft und gut machen. Er sprach wie ein Pariser Arbeiter, der das R rollt und die Worte in die Länge zieht; jeder Satz war von einer nervösen Geste begleitet; zweimal rieb er sich die Nase mit dem Zeigefinger, den Ellbogen hatte er auf eines seiner Knie gestützt, die er kreuzt, sobald er sitzt. Sein Leib ist von der Gewohnheit, sich zur Staffelei zu neigen, gebeugt und gekrümmt...« Genauso hat ihn Sacha Guitry in einem seiner ersten Filme dargestellt.

Über das *Urteil des Paris*, bei dem *Gabrielle* sowohl für den Knaben als auch für eine der drei Göttinnen Modell stand, sagte Renoir zu Gasquet: »Was für bewundernswerte Geschöpfe sind doch die Griechen. Ihr Leben war so glücklich, daß sie sich vorstellten, die Götter stiegen, um ihr Paradies zu finden und um zu lieben, zur Erde hernieder. Ja, die Erde war das Paradies der Götter... Das ist es, was ich malen möchte.« In dieser Zeit schuf der Bildhauer Guénot nach Renoirs Zeichnungen und unter dessen Aufsicht die große Venus und verschiedene Stücke, die in Bronze gegossen wurden. Renoir interessierte sich nicht für die Kupferstecherkunst und hinterließ nur einige wenige Lithographien.
Madame Auguste Renoir starb 1914. Renoir überlebte sie nicht lange. Er mußte von seinem Rollstuhl ins Bett gehoben werden. Gegen Ende des Jahres 1918, kurz vor dem Waffenstillstand, wollte er den Louvre noch einmal sehen; sein kleines Porträt von Madame Charpentier, das der Staat kurz zuvor erworben hatte, war im Lacaze-Saal ausgestellt. Am 30. November 1919 malte er in Cagnes noch ein kleines Stilleben, zwei Äpfel. Am 3. Dezember, um zwei Uhr früh, verschied er. Renoir liegt in Essoyes neben seiner Frau begraben.

Er hatte einmal zu seinem ältesten Sohn, der inzwischen ebenfalls verstorben ist, gesagt: »Laßt mir keinen allzu schweren Stein setzen, damit ich ihn aufheben kann, wenn mich einmal die Lust packt, auf dem Land spazierenzugehen.« Renoirs ganze Schalkhaftigkeit spiegelt sich in diesem Scherz wider.

Aber es gab einen anderen Renoir, den unergründlichen, der aus Schamhaftigkeit Unsinn redete und dem der Geistliche von Cagnes, sein Freund Abbé Baume, bei der Feier unter den großen Olivenbäumen vor seiner letzten Fahrt nach Essoyes folgende Worte widmete: »Es genügte, vor ihm, auch wenn er sich mitten in der fesselndsten Arbeit befand, gewisse Worte – Gott, Seele, Gerechtigkeit, Pflicht, Vorsehung, Ewigkeit – auszusprechen, um seinen ins Nichts verlorenen oder auf die Malerei gerichteten Blick auf sich zu lenken. Ich erinnere mich an einen Abend, da das Licht des Sonnenunterganges noch ergreifender schien als gewöhnlich. Renoir, an seinen Krankenstuhl gefesselt, hatte das Gesicht dem Horizont aus Wasser und sterbendem Licht zugewandt, in dem die Landschaft des Cap d'Antibes sich niederzusenken und schlafen zu legen schien. Plötzlich sagte der Meister, aus seiner nachdenklichen Stille erwachend, halblaut zu mir: ›Wie groß muß die Schönheit Gottes sein, die dies geschaffen hat!‹« Dieser andere Renoir ist der wahre.

Mutter mit Kind, 1902. Bleistift

◁

GABRIELLE MIT ENTBLÖSSTER BRUST, 1907
Öl auf Leinwand, 56 × 46 cm
Privatsammlung, Frankreich

FRAU, SICH DEN SCHUH SCHNÜREND, c. 1918
Öl auf Leinwand, 50,5 × 56,5 cm
Courtauld Institute Galleries, London. Courtauld Sammlung

BIOGRAPHIE

1841 Geboren am 25. Februar in Limoges als Sohn eines Maßschneiders.

1845 Die Familie übersiedelt nach Paris in die Rue d'Argenteuil.

1849 Besucht die Grundschule, wo der Komponist Charles Gounot seine Liebe zur Musik weckt.

1854 Wird Lehrling in einer Porzellanfabrik, wo er Teller bemalt im Stil des 18. Jahrhunderts. Später verziert er Fächer, dann Vorhänge für Missionskirchen.

1862 Besucht die Kunstakademie und das Atelier Gleyre, wo er Sisley, Bazille und Monet kennenlernt. Verbindung mit Pissarro und Cézanne, die an der Schweizer Akademie studieren.

1863 Verläßt das Atelier Gleyre. Studien im Louvre mit Fantin-Latour.

1864 Malt im Wald von Fontainebleau, wo er Diaz trifft. Die Jury nimmt *La Esmeralda* für den Salon an, ein Gemälde im akademischen Stil, das er später vernichtet.

1865 Arbeitet zusammen mit Sisley in Marlotte. Der Salon stellt zwei Gemälde aus.

1866 Malt *Die Schenke der Mutter Anthony* in Marlotte. Wird trotz Unterstützung durch Corot und Daubigny vom Salon zurückgewiesen. Im Frühling malt er zusammen mit Monet in Paris. Arbeitet im Atelier von Bazille.

1867 *Diana auf der Jagd* vom Salon abgelehnt.

1868 *Lise mit dem Schirm* wird im Salon ausgestellt und erhält gute Kritiken. In der Villa des Prinzen Bibesco malt er eine Decke aus.

1869 Gestaltet mit Monet in Bougival dieselben Motive: La Grenouillère und die Ruderer. Mit seinem Modell Lise in Ville d'Avray.

1870 *Die Badende* und *Frau aus Algier* werden im Salon ausgestellt und von der Kritik gut aufgenommen. Wird zum 10. Regiment der Leichten Kavallerie nach Bordeaux einberufen.

1871 Porträt von Kapitän Darras und seiner Frau. Rückkehr nach Paris während der Commune. Zum Malen in Louveciennes und in Bougival.

1872 Bezieht ein Atelier in der Rue Notre-Dame-des-Champs. Besuch bei Monet in Argenteuil. Ansichten von Paris *(Quai Malaquai, Pont-Neuf)*. Degas macht ihn mit Théodore Duret bekannt.

1873 Bekanntschaft mit Paul Durand-Ruel, der nun seine Gemälde regelmäßig kauft. Großes Atelier in der Rue Saint-Georges.

1874 Sieben Gemälde in der Impressionisten-Ausstellung bei Nadar gezeigt. Verbindung mit Caillebotte, einem Maler und Sammler. *Die Loge.*

1875 Mißerfolg bei der Versteigerung im Hôtel Drouot (Gemälde von Renoir, Monet, Sisley und Berthe Morisot). Bekanntschaft mit dem Sammler Chocquet.

1876 Fünfzehn Gemälde bei der 2. Impressionisten-Ausstellung. Atelier in der Rue Cortot auf dem Montmartre. *Die Schaukel* und *Moulin de la Galette*. Freundschaft mit dem Verleger Georges Charpentier, der Familie Daudet und der Schauspielerin Jeanne Samary.

1877 Zweiundzwanzig Gemälde bei der 3. Impressionisten-Ausstellung. *Porträt von Jeanne Samary.*

1878 Aufenthalt in Pourville bei Dieppe. *Madame Charpentier mit ihren Kindern.*

1879 *Madame Charpentier* wird vom Salon angenommen und findet große Anerkennung. Im Juni Einzelausstellung in der Galerie »La Vie Moderne«. Erster Aufenthalt bei dem Diplomaten Paul Bérard und seiner Familie in deren Landhaus in Wargemont am Ärmelkanal, nahe bei Dieppe. Zeichnungen für die Zeitschrift »La Vie Moderne«.

1880 Zweifelt an seiner Malkunst. Beginnt *Das Frühstück der Ruderer*. Atelier in der Rue Norvins. Sommer in Berneval.

1881 Heirat mit Aline Charigot. Reisen in Länder des gleißenden Lichtes: Algerien, Italien, Südfrankreich. Einfluß der italienischen Renaissancemaler, vor allem von Raffael. Entdeckt Venedig, besucht die Museen von Rom und Florenz, ist sehr beeindruckt von den Fresken in Pompeji.

1882 *Porträt von Richard Wagner* in Palermo. Fünfundzwanzig Gemälde bei der 7. Impressionisten-Ausstellung.

1883 Reisen mit Monet nach Marseille und Genua. Besuch bei Cézanne in L'Estaque. Malt *Der Tanz in Bougival* (Modell ist Suzanne Valadon) während eines Aufenthaltes in Guernsey.

1884 Arbeitet in Paris und in La Rochelle. Trennt sich vom Impressionismus.

1885 Geburt des Sohnes Pierre. Erste Skizzen für *Die*

großen Badenden. Aufenthalt in Wargemont, dann mit Cézanne in La Roche-Guyon.

1886 Durand-Ruel organisiert eine Impressionisten-Ausstellung in New York, die auch Werke von Renoir zeigt. Ausstellung der XX in Brüssel. Internationale Ausstellung in der Pariser Galerie Georges Petit.

1888 Aufenthalt mit Cézanne in Jas-de-Bouffan, Winter in Martigues.

1889 Bei Cézanne in Montbriand, in der Nähe von Aix-en-Provence.

1890 Atelier am Boulevard de Clichy. Nimmt zum letztenmal an der Ausstellung im Salon teil. Besuch bei Berthe Morisot in Mézy.

1891 Kurzer Aufenthalt in Spanien.

1892 Erster Ankauf eines Bildes durch den Staat. Mit Gallimard Reise nach Spanien. Aufenthalt in Pont-Aven in der Bretagne. Wandmalereien für Durand-Ruel. Philippe Gangnat kauft erste Gemälde von Renoir für seine Sammlung.

1893 Geburt des zweiten Sohnes Jean. Winter in Beaulieu, Sommer in Pont-Aven. Das Kindermädchen Gabrielle wird sein Lieblings-modell.

1894 Tod von Caillebotte, der seine Sammlung dem Staat vermacht. Renoir wird Testamentsvoll-strecker. Atelier in der Rue Tourlaque.

1895 Reisen in die Provence, die Niederlande und nach London.

1896 Ausstellung in der Galerie Durand-Ruel. Reise nach Bayreuth.

1897 Durch die Bemühungen Renoirs nimmt der Staat die Schenkung Caillebotte an, zu der auch sechs Gemälde von Renoir gehören. Aufenthalt in Berneval.

1898 Kauf eines Landhauses in Essoyes bei Troyes, dem Geburtsort seiner Frau.

1899 Ein erster schwerer Rheuma-Anfall zwingt ihn, den Winter im Süden zu verbringen.

1900 Aufenthalt in Grasse, in Saint-Laurent-les-Bains und in Louveciennes. Zum Ritter der Ehrenlegion ernannt.

1901 Geburt des dritten Sohnes Claude (Coco). Badekur in Aix-les-Bains.

1902 Richtet sich in Le Cannet, Südfrankreich, ein.

1903 Winter in Le Cannet, Sommer in Essoyes. *Der Garten in Essoyes.* Mietet »Les Collettes« bei Cagnes.

1904 Badekur in Bourbonne-les-Bains. Großer per-sönlicher Erfolg beim Herbstsalon.

1905-1909 Durch Rheumatismus gelähmt. *Das Urteil des Paris* (1908).

1910 Seine Gesundheit bessert sich, und er kann nach München fahren.

1912 Leidet schwer unter Arthritis. Zum Offizier der Ehrenlegion ernannt.

1913 Bedeutende Ausstellung in der Pariser Galerie Bernheim-Jeune.

1914 Erster Weltkrieg. Die Söhne Pierre und Jean werden an der Front verwundet. Tod seiner Frau.

1919 Besuch im Louvre, nach einem Sommer in Essoyes. Stirbt am 3. Dezember in Cagnes.

BADENDE, 1910. Öl auf Leinwand, 40 × 51 cm
Nationalmuseum, Stockholm

BIBLIOGRAPHIE

ANDRÉ, Albert: *Renoir*. Paris, Georges Besson, 1918. Crès, 1919, 1928.

ANDRÉ, Albert und ELDER, Marc: *L'Atelier de Renoir*. 2 Bde. Paris, Bernheim-Jeune, 1931.

BARNES, Albert C.: *The Art in Painting*. Merion, Pennsylvania, The Barnes Foundation Press, 1925.

BARNES, Albert C. und DE MAZIA, Violette: *Art of Renoir*. New York, Milton, Bach & Co., 1935.

BASLER, Adolphe: *Pierre Auguste Renoir*. Paris, Gallimard, 1928.

BEAUDOT, Jeanne: *Renoir, ses amis, ses modèles*. Paris, Editions littéraires de France, 1949.

BESSON, Georges: *Auguste Renoir*. Paris, 1929.

BETZ, Gerd: *Auguste Renoir. Leben und Werk*. Stuttgart, Belser, 1982.

BLUNDEN, M. und C.: *Journal de l'Impressionnisme*. Genf, 1970.

BORGMEYER, C. L.: *The Masters Impressionists*. Chicago, 1913.

BÜNEMANN, Hermann: *Renoir*. Ettal, Buch-Kunstverlag, 1959.

CABANNE, Pierre u.a.: *Renoir*. Paris, 1970.

CALLEN, Anthea: *Renoir*. London, Oresko Books, 1978.

CATINAT, Maurice: *Les Bords de la Seine avec Renoir et Maupassant*. Chatou, Editions S.O.S.P., 1952.

CATTANEO, Irene: *Vita colorata di Renoir*. Mailand, Bietti, 1947.

CLAY, Jean: *L'Impressionnisme*. Paris, Hachette, 1970.

COGNIAT, Raymond: *Les Impressionnistes*. Paris, Hypérion, 1950.

COGNIAT, Raymond: *Le Siècle des impressionnistes*. Paris, Flammarion, 1967.

COQUIOT, Gustave: *Renoir*. Paris, Albin Michel, 1925.

CORTISSOZ, Royal: *Personalities in Art*. London, Scribner, 1925.

CORTISSOZ, Royal: *The Painter's Craft*. London, Scribner, 1930.

DAULTE, François: *Frédéric Bazille et son temps*. Genf, Pierre Cailler, 1952.

DAULTE, François: *Pierre Auguste Renoir. Aquarelles, pastels et dessins en couleurs*. Basel, 1958.

DAULTE, François: *Renoir, catalogue complet de son œuvre*. 4 Bde. Paris, Lausanne, Durand-Ruel 1971-1975.

DAULTE, François: *Auguste Renoir*. Mailand, Fabbri, 1972.

DRÜCKER, Michel: *Renoir*. Paris, Tisné, 1944, 1949, 1955.

DURET, Théodore: *Histoire des peintres impressionnistes*. Paris, Floury, 1906, 1939.

DURET, Théodore: *Renoir*. Paris, Bernheim-Jeune, 1924.

FEIST, P. H.: *Auguste Renoir*. Leipzig, Seemann, 1961.

FEZZI, Elda: *L'Opera completa di Renoir nel periodo impressionista, 1869-1883*. Mailand, Rizzoli, 1981.

FLORISOONE, Michel: *Renoir*. Paris, London, Hypérion, 1937.

FOSCA, François: *Renoir*. Paris, Rieder, 1923.

FROST, Rosamund: *Pierre Auguste Renoir*. New York, Hypérion mit Duell, Sloan & Pierce, 1944.

GAUNT, W.: *Pierre Auguste Renoir*. London, 1953.

GAUTHIER, Maximilien: *Renoir*. Paris, Flammarion, 1976.

GRABER, Hans: *Impressionisten Briefe*. Basel, Schwabe, 1934.

GRABER, Hans: *Auguste Renoir nach eigenen und fremden Zeugnissen*. Basel, Schwabe, 1943.

HAESAERTS, Paul: *Renoir, sculpteur*. Brüssel, Hermès, 1947.

HOPP, Ragnar: *Städer och konstnärer; resebrev och essäer om konst*. Stockholm, Bonniers, 1931.

LASSAIGNE, Jacques: *L'Impressionnisme*. Lausanne, 1966.

LETHÈVE, J.: *Impressionnistes et symbolistes devant la presse*. Paris, 1959.

LEYMARIE, Jean: *Renoir*. Paris, Hazan, 1949.

LHOTE, André: *Peintures de Renoir*. Paris, Le Chêne, 1944.

MEIER-GRAEFE, Julius: *Impressionisten.* München, Leipzig, Piper, 1907.

MEIER-GRAEFE, Julius: *Renoir.* München, Piper, 1911. Leipzig, Klinkhardt & Biermann, 1929. Paris, 1912.

MEIER-GRAEFE, Julius und HAUSENSTEIN, W.: *Renoir.* München, 1920, 1929.

MIRBEAU, Octave: *Renoir.* Paris, 1913.

MONNERET, Sophie: *L'Impressionnisme et son époque.* 4 Bde. Paris, 1978-1980.

NEMITZ, Fritz: *Auguste Renoir.* Köln, Phaidon, 1952.

PACH, Walter: *Pierre Auguste Renoir.* New York, Harry Abrams, 1950.

PACH, Walter: *Auguste Renoir.* Köln, DuMont, 1979.

PERRUCHOT, Henri: *La Vie de Renoir.* Paris, Hachette, 1964.

RAYNAL, M.: *Renoir.* Genf, Skira, 1949.

RENOIR. Kirchdorf, Berghaus Vlg, 1981.

RENOIR, Auguste: *Gespräche.* Aufgezeichnet von Ambroise Vollard. Zürich, Die Arche, 1970.

RENOIR, Jean: *Renoir.* Paris, 1962.

RENOIR, Jean: *Mein Vater Auguste Renoir.* München, Piper, 1962.

REWALD, John: *Histoire de l'Impressionnisme.* Paris, 1955.

RIVIÈRE, Georges: *Renoir et ses amis.* Paris, Floury, 1921.

ROBIDA, Michel: *Renoir: enfants.* Lausanne, International Art Book, 1959.

ROGER-MARX, Claude: *Renoir.* Paris, Floury, 1933.

ROGER-MARX, Claude: *Les Impressionnistes.* Paris, Hachette, 1956.

ROUART, Denis: *Renoir.* Genf, Skira, 1954.

SALMON, André: *Propos d'atelier.* Paris, Nouvelle Edition Excelsior, 1938.

SCHNEIDER, Bruno: *Renoir.* Berlin, Safari-Verlag, 1957.

SCHNEIDER, Bruno: *Renoir.* New York, Crown, 1977.

TERRASSE, Charles: *Cinquante portraits de Renoir.* Paris, Floury, 1941.

THYIS, J.: *Renoir den franska kvinnans mälare.* Stockholm, 1944.

VENTURI, Lionello: *Archives de l'Impressionnisme.* Paris, Durand-Ruel, 1939.

VINDING, Ole: *Renoir.* Stockholm, P. A. Norstedt, 1951.

VOLLARD, Ambroise: *Tableaux, pastels et dessins de Pierre Auguste Renoir.* 2 Bde. Paris, Ambroise Vollard, 1918. Neuausgabe Paris, Alain C. Mazo, 1954.

VOLLARD, Ambroise: *La vie et l'œuvre de Pierre Auguste Renoir.* Paris, Ambroise Vollard, 1919. Crès, 1920, Berlin, Cassirer, 1924.

VOLLARD, Ambroise: *Ecoutant Cézanne, Degas, Renoir.* Paris, Grasset, 1938.

WILDENSTEIN, Daniel: *Renoir.* Paris, Vergennes, 1980.

WILENSKI, Reginald H.: *Modern French Painters.* New York, Reynal & Hitchcock, 1940.

AUSSTELLUNGEN

Universität Miami, Coral Gables, Florida: *Renoir to Picasso, 1914.* Februar/März 1963.

Musée Cantini, Marseille: *Renoir peintre et sculpteur.* Juni/September 1963.

Galerie Knoedler, Paris: *Renoir.* Juni/September 1966.

Galerie Durand-Ruel, Paris: *Renoir intime.* Januar/Februar 1969.

Galerie Wildenstein, New York: *Renoir.* März/Mai 1969.

Musée de Troyes: *Renoir et ses amis.* Juni/September 1969.

Herbstsalon, Paris: *Auguste Renoir.* Oktober/November 1970.

Seibu Galerie, Tokio. Centre culturel, Fukuoka. Musée d'art moderne de la préfecture de Hyogo, Kobe: *Renoir.* Oktober 1971/Februar 1972.

Art Institute, Chicago: *Renoir.* Februar/April 1973.

Galerie Wildenstein, New York: *Renoir, the Gentle Rebel.* Oktober/November 1974.

Hotel Bristol, Paris: *Renoir.* November 1974.

Museum of Arts, Fort Lauderdale, Florida: *The Graphic Work of Renoir from the collection of Dr. Stella.* 1982.

ABBILDUNGEN

Wir danken den nachfolgend genannten Eigentümern der in diesem Band wiedergegebenen Arbeiten von Pierre Auguste Renoir, ebenso auch jenen, die anonym bleiben wollten, für freundliche Genehmigung zur Reproduktion der Werke. Unser besonderer Dank geht an François Daulte in Lausanne für seine wertvollen Ratschläge und Hilfe.

MUSEEN

ENGLAND

Courtauld Institute Galleries, London – The National Gallery, London.

FRANKREICH

Musée des Beaux-Arts, Lyon – Comédie Française, Paris – Musée du Louvre, Jeu de Paume, Paris.

SCHWEDEN

Nationalmuseum, Stockholm.

VEREINIGTE STAATEN VON AMERICA

Boston, Museum of Fine Arts – Cambridge, Massachusetts, The Fogg Art Museum – Chicago, The Art Institute – Cleveland, Museum of Art – Hartford, Connecticut, The Wadsworth Atheneum – Minneapolis, The Institute of Arts – New York, The Metropolitan Museum of Art – Philadelphia, The Museum of Art – Portland, Oregon, Art Museum – Richmond, Virginia, Museum of Fine Arts – Washington D.C., National Gallery of Art; The Phillips Collection – Williamstown, Massachusetts, Sterling and Francine Clark Art Institute.

PRIVATSAMMLUNGEN

Walter H. Annenberg, New York – Norton Simon Art Foundation, Pasadena, Kalifornien – Sammlung Oskar Reinhart »Am Römerholz«, Winterthur, Schweiz.

GALLERIEN

New York, Acquavella Galleries Inc.

PHOTOGRAPHEN

E. Irving Blomstrann, New Britain, Connecticut – Jean Loup Charmet, Paris – A. E. Dolinski, San Gabriel, Kalifornien – Bernard Lontin, La Tour de Salvagny (Lyon) – Studio Lourmel, Paris – Service de Documentation Photographique de la Réunion des Musées Nationaux, Paris.